Introduzione

Bla Bla è un libro per l'apprendimento dell'italiano, una guida essenziale, compatta e divertente per accompagnare gli alunni a un primo approccio alla lingua.

Bla Bla è suddiviso in otto unità che trattano le tematiche più importanti che uno straniero deve affrontare quando si trova in un paese nuovo: saper parlare di sé, della propria famiglia, saper cercare casa, saper acquistare un biglietto per viaggiare, saper fare compere…

È una guida sintetica, adatta a chi vuole avvicinarsi alla lingua italiana in maniera ludica, leggera ed efficace. Non ha la pretesa di essere un manuale o un corso completo ma un semplice strumento di apprendimento rapido e basilare.

Il libro è diviso in cinque sezioni: comunicazione, grammatica, pronunciare e scrivere, lessico e relax. L'approccio comunicativo del libro permette di apprendere in maniera più dinamica, mentre le riflessioni e gli esercizi grammaticali consentono di strutturare maggiormente ciò che si sta apprendendo.

La sezione denominata "Relax" dà la possibilità di fissare i contenuti dell'unità appresi attraverso cruciverba, puzzle, giochi e canzoni, rendendo l'apprendimento più ludico e motivante.

Nell'ultima pagina di ogni unità è presente un link per eseguire quiz interattivi online, riassuntivi dei contenuti trattati nell'unità.

Il costo contenuto del libro consente a tutti di avere con sé una guida facile e piacevole per l'apprendimento della lingua italiana.

Mi auguro che il libro possa avvicinare lo studente a questa fantastica lingua in maniera leggera e divertente, invogliandolo allo studio e alla scoperta della cultura italiana.

L'autrice

Quiz interattivo

Alla fine di ogni unità è presente un QRcode. Inquadralo con la fotocamera di uno smartphone o tablet. In automatico sarai collegato a un quiz interattivo online, con domande riassuntive degli argomenti trattati. Uno strumento utile e divertente per verificare e migliorare il tuo apprendimento.

Bla Bla è a cura di Mattioli Laura, con la preziosa collaborazione di Salucci Vanessa.

Copyright © 2021, Nina S.r.l., Pesaro. Tutti i diritti sono riservati. Nessuna parte di questo volume può essere riprodotta, memorizzata o trasmessa in alcuna forma e con alcun mezzo, elettronico, meccanico, video, in disco, in fotocopia o in altro modo, senza l'autorizzazione scritta dell'Editore.
Nina S.r.l. - Pesaro. info@ninaedizioni.it - www.ninaedizioni.it - Progetto grafico: seta - Filippo Borselli.

Indice

Bla!
Bla!

COMUNICAZIONE	GRAMMATICA	PRONUNCIARE E SCRIVERE	LESSICO	RELAX

ASCOLTA   PARLA   SCRIVI   LEGGI

NINA
EDIZIONI

Bla! Bla! è anche in versione digitale

STRUMENTI
Strumenti gratuiti per la didattica: prendi appunti, crea note vocali, mappe interattive, playlist di contenuti e lezioni. Il tutto è integrato nei libri di testo che si trovano su bSmart.

RISORSE
Contenuti gratuiti per le tue lezioni in un unico spazio personale che cresce nel tempo, e che puoi arricchire con risorse prodotte o scelte da te in rete.

TUTORING ONLINE
Tutor selezionati e disponibili online per un affiancamento su tutte le materie scolastiche.

CLASSI, CORSI E LEZION
Ambienti e strumenti grat per le tue lezioni: asse compiti e verifica i risult condividi sulla bacheca e ir messaggi personalizzati.

1

REGISTRATI
Registrati su **www.bsmart.it** (se sei un insegnante, certifica il tuo ruolo).

2

SCARICA L'APP
Installa My bSmart (o usa l'app online) e accedi con i dati inseriti in fase di registrazione.

3

INIZIA
Attiva i tuoi libri di testo inserendo il codice che trovi su questo libro o facendone richiesta: **info@ninaedizioni.it**

1

Mi presento

" Ciao "

Shefika: Ciao, io mi chiamo Shefika e tu come ti chiami?

Ana: Io mi chiamo Ana, piacere.

Shefika: Piacere.

Omar: Ciao ragazze, come vi chiamate?

Ana: Io mi chiamo Ana e lei si chiama Shefika.

Omar: Io sono Omar, piacere.

---

1 **Ascolta di nuovo e completa.**

Shefika: Ciao, _____ mi chiamo Shefika e _____ come ti _____?

Ana: Io _____ chiamo Ana, _____.

Shefika: Piacere.

Omar: Ciao ragazze, _____ vi chiamate?

Ana: Io _____ Ana e lei _____ Shefika.

Omar: _____ , piacere.

---

2 **Ora presentati e domanda a un tuo compagno/a come si chiama.**

Io mi chiamo _____.

E tu come ti chiami? _____ . Piacere.

---

3 **Ora presenta il tuo compagno alla classe.**

Lui/lei si chiama _____.

Di dove sei?

Akua:	Ciao come ti chiami?
Bernard:	Io mi chiamo Bernard. E tu come ti chiami?
Akua:	Io mi chiamo Akua. Di dove sei?
Bernard:	Io sono albanese di Tirana. E tu?
Akua:	Io sono ghanese di Kumasi. Piacere.
Moustafà:	Ciao ragazzi io sono Moustafà e lei è la mia amica Fatima.
Bernard:	Ciao ragazzi, molto piacere. Di dove siete?
Moustafà:	Io sono marocchino di Casablanca e lei è tunisina di Tunisi.

4 ✎ **Scrivi le informazioni sui ragazzi e completa le frasi.**

 **A**

NOME

_____

NAZIONALITÀ

_____

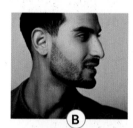 **B**

NOME

_____

NAZIONALITÀ

_____

 **C**

NOME

_____

NAZIONALITÀ

_____

 **D**

NOME

_____

NAZIONALITÀ

_____

A) Lei si chiama _____, è ghanese di Kumasi.

B) _____, è _____ .

C) Lui _____ Bernard, _____ , di _____ .

D) _____ , _____ .

5 ✎ **Come ti chiami? Di dove sei? Completa le frasi.**

Io _____

sono _____

di _____ .

7 💬 **Ora presentalo alla classe.**

6 💬✎ **Ora fai le domande a un tuo compagno/a e scrivi la risposta.**

Come ti chiami? / Di dove sei?

Lui/lei _____

è _____

di _____ .

"Le lettere dell'alfabeto"

A B C D E F G H I L M N O P Q R S T U V Z
a b c d e f g h i l m n o p q r s t u v z

LA PRONUNCIA

A	a
B	bi
C	ci
D	di
E	e
F	effe
G	gi
H	acca
I	i
L	elle
M	emme
N	enne
O	o
P	pi
Q	qu
R	erre
S	esse
T	ti
U	u
V	vu
Z	zeta

A come **ALBERO**

B come **BOCCA**

C come **CANE**

D come **DADO**

E come **EURO**

F come **FULMINE**

G come **GELATO**

H come **HOTEL**

I come **ITALIA**

L come **LIBRO**

M come **MORA**

N come **NAVE**

O come **OCA**

P come **PANE**

Q come **QUADRO**

R come **ROSA**

S come **SOLE**

T come **TAVOLO**

U come **UVA**

V come **VULCANO**

Z come **ZANZARA**

J i lunga come **JEANS**

K kappa come **KIWI**

W doppia vu come **WATER**

X ics come **TAXI**

Y ipsilon come **YOGURT**

MI CHIAMO KUMI APPIAH
Come si scrive?
NOME: KAPPA – U – EMME – I
COGNOME: A – PI – PI – A – ACCA

Come si scrive

COME SI SCRIVE IL TUO NOME?

E IL TUO COGNOME?

_____

_____

8 👁 Leggi il codice fiscale.

Il tuo codice fiscale

OSMBRN80A06479P

O / ESSE / EMME / BI / ERRE

ENNE / OTTO / ZERO / A / ZERO

SEI / QUATTRO / SETTE / NOVE / PI

Leggi ai tuoi compagni il tuo codice fiscale.

9 👁

Le nazionalità

Pensa a una parola. Di' la parola lettera per lettera ai compagni, la devono indovinare che parola è.

10 💬

PAESE	MASCHILE	FEMMINILE
ALBANIA	ALBANESE	ALBANESE
ALGERIA	ALGERINO	ALGERINA
BRASILE	BRASILIANO	BRASILIANA
CINA	CINESE	CINESE
FRANCIA	FRANCESE	FRANCESE
GERMANIA	TEDESCO	TEDESCA
INGHILTERRA	INGLESE	INGLESE
ITALIA	ITALIANO	ITALIANA
MALI	MALIANO	MALIANA
MAROCCO	MAROCCHINO	MAROCCHINA
MOLDAVIA	MOLDAVO	MOLDAVA
NIGERIA	NIGERIANO	NIGERIANA
PERÙ	PERUVIANO	PERUVIANA
PAKISTAN	PAKISTANO	PAKISTANA
ROMANIA	RUMENO	RUMENA
RUSSIA	RUSSO	RUSSA
SENEGAL	SENEGALESE	SENEGALESE
SRI LANKA	SRILANKESE (CINGALESE)	SRILANKESE (CINGALESE)
TUNISIA	TUNISINO	TUNISINA
UCRAINA	UCRAINO	UCRAINA

💬 Chiedi le nazionalità ai tuoi compagni e scrivi sul tuo quaderno frasi come nell'esempio.

11 ✏

Esempio: Lei si chiama Fatima, è tunisina, di Tunisi.

Unisci i dialoghi al disegno corrispondente.

I saluti

1
Roberta: Buona notte Irina!
Irina: Buona notte Roberta!

2
Maestro: Arrivederci ragazzi!
Ragazzi: A domani maestro!

A

B

C

D

3
Ragazzi: Buongiorno maestro!
Maestro: Buongiorno ragazzi!

4
Fatima: Ciao Amin come va?
Amin: Ciao Fatima.

Ascolta e completa i dialoghi con i saluti mancanti.

1
A) Hey, _____ Lucas, come va?
B) _____ Medi, tutto ok, tu?
A) Anche io, tutto bene!
B) _____

> CIAO
> BUONGIORNO
> BUONASERA
> BUONANOTTE

2
A) _____ ragazzi.
B) _____ professor Rossi.
A) Oggi abbiamo con noi un ospite, il dottor Ramsek.
C) _____ ragazzi, è un piacere conoscervi.
B) _____ dottore!

> ARRIVEDERCI
> A PRESTO
> A DOMANI

3
A) Fammi sapere come va l'esame.
B) Ok, domani ti chiamo appena esco.
A) _____ .
B) _____ .

→ Solo quando si va via

I pronomi IO - TU - LUI - LEI

ITALIANO	IO	TU	LUI	LEI
INGLESE	I	YOU	HE	SHE
SPAGNOLO	YO	TÚ	ÉL	ELLA
FRANCESE	JE	TU	IL	ELLE
RUSSO	Я	ТЫ	OH	OHA
CINESE	我	你	他	戈他
ARABO	أنا	أنت	هو	هي

Il verbo CHIAMARSI

	CHIAMARSI
IO	**MI CHIAMO**
TU	**TI CHIAMI**
LUI/LEI	**SI CHIAMA**

14 ✏ **Unisci il pronome al verbo giusto.**

IO	SI CHIAMA
TU	TI CHIAMI
LUI	MI CHIAMO
LEI	SI CHIAMA

Il verbo ESSERE

15 ✏ **Unisci il pronome al verbo giusto.**

IO	È
TU	SEI
LUI	È
LEI	SONO

	ESSERE
IO	**SONO**
TU	**SEI**
LUI/LEI	**È**

	NON ESSERE
IO	**NON SONO**
TU	**NON SEI**
LUI/LEI	**NON È**

1

16 Completa con i pronomi IO / TU / LUI / LEI.

1) _____ si chiama Fatima.

2) _____ sono italiano.

3) _____ è colombiano.

4) _____ mi chiamo Juan.

5) _____ ti chiami Mia.

6) _____ sei albanese.

7) _____ è ucraina.

8) _____ si chiama Omar.

17 Completa con il verbo essere e la nazionalità corrispondente come nell'esempio.

Esempio: Giovanni è italiano (Italia).

1) Ana _____ _____ (Romania).

2) Omar _____ _____ (Marocco).

3) Tu _____ _____ (Cina), vero?

4) Maria _____ _____ (Perù).

5) Satoko non _____ _____ (Pakistan).

6) Io _____ _____ (Bulgaria).

18 Completa con il verbo CHIAMARSI.

1) Lei _____ Barbara.

2) Io _____ Abdul, tu come _____ ?

3) Lui non _____ Evis.

4) Tu _____ Carlo, vero?

5) Io non _____ Fallou.

6) Lei _____ Meris.

19 Leggi le informazioni su ogni persona e rispondi alle domande, come nell'esempio.

Esempio:

A — Sara, Italia

1) *Come si chiama?*
   Lei si chiama Sara.
2) *Di dov'è?*
   Lei è italiana.

B — Leo, Brasile

1) Come si chiama?
   _____
2) Di dov'è?
   _____

C — Fiore, Albania

1) Come si chiama?
   _____
2) Di dov'è?
   _____

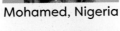
D — Mohamed, Nigeria

1) Come si chiama?
   _____
2) Di dov'è?
   _____

E — Abdoul, Senegal

1) Come si chiama?
   _____
2) Di dov'è?
   _____

F — Diana, Ucraina

1) Come si chiama?
   _____
2) Di dov'è?
   _____

20 Fai le stesse domande ad un compagno e scrivi le risposte nel tuo quaderno.

La lettera C 🔊

SUONO DOLCE — C + I C + E

C + I = CI ⟶ CINEMA

C + E = CE ⟶ CESTO

C + IA = CIA ⟶ CIABATTA

C + IO = CIO ⟶ CIOCCOLATO

C + IU = CIU ⟶ CIUCCIO

SUONO DURO — C + tutte le altre lettere

C + A = CA ⟶ CANE

C + O = CO ⟶ COCOMERO

C + U = CU ⟶ CULLA

C + L = CL ⟶ CLASSE

C + R = CR ⟶ CREMA

ATTENTI!

C + HI = CHI ⟶ CHIAVE

C + HE = CHE ⟶ FORCHETTA

🔊 **21** ✏️ Ascolta e completa le parole, poi collegale all'immagine.

*CU*CCHIAIO
____BO
____TENA
____LONNA
____C____
____GNO
____O____
____CI
O____
MAC____NA
____TARRA
ZUC____RO
____POLLA
____TRIOLO

I giorni della settimana

1

| l'altro ieri | ieri | oggi | domani | dopo domani |

1) Che giorno era l'altro ieri? L'altro ieri era _____

2) Che giorno era ieri? Ieri era _____

3) Che giorno è oggi? Oggi è _____

4) Che giorno è domani? Domani è _____

5) Che giorno è dopodomani? Dopodomani è _____

---

22 🔊✏️ **Ascolta i dialoghi e completa la tabella.**

	Dialogo 1	Dialogo 2	Dialogo 3	Dialogo 4
CHI	*Abdul*	_____	*Tony*	_____
DOVE	_____	*A scuola*	_____	_____
QUANDO	_____		_____	_____

---

23 🔊✏️ **Ascolta e scrivi le parole nell'immagine corretta.**

La classe

| LA PENNA | IL BIDONE | IL MAESTRO | LA GOMMA |

   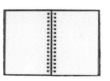 

L'AULA _____ IL LIBRO IL QUADERNO _____ LA LAVAGNA

LA MATITA _____ LA LAVAGNA DIGITALE LA CARTINA GEOGRAFICA _____ L'ASTUCCIO

I numeri

24 🔊✏️ **Ascolta e completa.**

0	1	2	3	4	5
ZE _ _	_ N _	D _ _	TR _	Q _ A _ TR _	_ _ NQ _ E

6	7	8	9	10
S _ I	S _ T _ E	_ TT _	N _ V _	DIE _ _

25 ✏️ **Quanti sono i chicchi d'uva? Scrivi il numero, come nell'esempio.**

2 = DUE   _ _ = _ _ _ _ _   _ _ = _ _ _ _ _   _ _ = _ _ _ _ _   _ _ = _ _ _ _ _

RELAX

Completa il cruciverba, le lettere evidenziate ti diranno la città natale di Valentino Rossi.

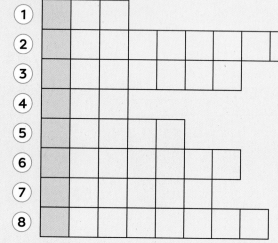

MODI DI DIRE

IN BOCCA AL LUPO
Si dice per augurare buona fortuna

2

Come va?

"Come stai?"

Fiorela: Ciao Fallou, tutto bene? Come stai?

Fallou: Buongiorno Fiorela, sto molto bene, grazie. E tu? Stai bene?

Fiorela: Sì, benissimo anche io grazie. E tuo figlio come sta?

Fallou: Oggi sta così così perché sta male ed è a casa.

Fiorela: Mi dispiace, salutalo!

Fallou: Certo, ci vediamo.

Fiorela: Ciao, alla prossima!

---

1 ✏️ **Rispondi alle domande sul testo.**

Come sta Fallou? _____

Come sta Fiorela? _____

Come sta il figlio di Fallou? _____

Dov'è il figlio di Fallou? _____

Quali saluti usano Fiorela e Fallou quando si incontrano? _____ _____

---

2 💬 **Leggi le parole, poi parla con un compagno: come stai? Come sta la tua famiglia?**

IO STO

| MOLTO BENE (BENISSIMO) | BENE | ABBASTANZA BENE | COSÌ COSÌ | MALE | MOLTO MALE (MALISSIMO) |

"Da quanto tempo sei in Italia?"

Feng: Ciao come vi chiamate?

Irina: Ciao io mi chiamo Irina, e lei si chiama Svetlana. E tu?

Feng: Io mi chiamo Feng.

Svetlana: Di dove sei Feng?

Feng: Io sono cinese, di Pechino. E voi?

Svetlana: Io sono russa di Mosca, lei è moldava di Tiraspol.

Feng: Da quanto tempo siete in Italia?

Irina: Io sono in Italia da sei mesi.

Svetlana: Io sono qui da otto mesi. E tu?

Feng: Io sono in Italia da due mesi.

Irina: Feng sei qui In Italia da solo?

Feng: No sono qui con la mia famiglia. E voi?

Svetlana: La mia famiglia è in Russia.

Irina: Anche la mia famiglia non è qui, è in Moldavia.

3 ✏️ Rispondi.

A) Di dove è Feng? _____

B) Di dove è Svetlana? _____

C) Di dove è Irina? _____

D) Da quanto tempo è in Italia Feng? _____

E) Da quanto tempo è in Italia Irina? _____

F) Da quanto tempo è in Italia Svetlana? _____

G) Dov'è la famiglia di Feng? _____

H) Dov'è la famiglia di Irina? _____

I) Dov'è la famiglia di Svetlana? _____

4 💬 Fai le domande a un tuo compagno/a poi racconta le risposte alla classe.

Come ti chiami?

Di dove sei?

Da quanto tempo sei in Italia?

Dov'è la tua famiglia?

5 ◀)) ✎ **Leggi, ascolta le presentazioni e completa le frasi.**

> Piacere, sono Israa e ho 18 anni. Sono di Algeri e sono in Italia da quattro anni. Io sono a Firenze mentre la mia famiglia è a Milano. In Italia stiamo molto bene!

> Ciao, mi chiamo Fatou e sono senegalese. Vivo a Roma da sei anni con tutta la mia famiglia: mio marito Mohamed e mia figlia Sami.

> Siamo Fernando e Lola e siamo peruviani. La nostra famiglia è ancora in Perù ma noi siamo in Italia, a Napoli, da tre anni.

A) Israa è _____ Italia _____ _____ anni. La sua famiglia è _____ Milano. Lei è _____ Firenze.

B) Israa e la sua famiglia stanno _____ _____ ___ Italia!

C) Fatou _____ senegalese ed è _____ Roma _____ sei anni .

D) La famiglia di Fatou è _____ Italia.

E) Fernando e Lola _____ peruviani ma vivono ___ Italia. La loro famiglia è _____ Perù.

F) Fernando e Lola sono _____ Napoli _____ tre anni.

6 ✎ **Rileggi le presentazioni dell'esercizio 5 e rispondi.**

A) Di dov'è Israa? _____

B) Dov'è la famiglia di Israa? _____

C) Come stanno loro in Italia?_____

D) Di dov'è Fatou? _____

E) Dov'è adesso Fatou? _____

F) Come si chiamano i familiari di Fatou?_____

G) Da quanto tempo sono in Italia Mohamed e Sami?_____

H) Dov'è la famiglia di Fernando e Lola? _____

I) Da quanto tempo sono a Napoli? _____

NAZIONI	CITTÀ/LUOGHI SPECIFICI	TEMPO
IN + 🇮🇹	A 🏛 MILAN	DA + 1 2 3 4 5...
"Sono IN Italia,	A Milano	DA sei anni."

🧠 **RICORDA**

DI + città di provenienza
"Sono di Parigi"
DI + dove
"Di dove sei?"

7 ✎ **Completa con la preposizione giusta seguendo il riquadro qui sopra.**

A) I miei fratelli sono _____ Francia _____ otto anni.

B) Voi siete _____ Pechino adesso? No, siamo _____ Italia _____ tre settimane.

C) Gregor è senegalese, _____ Dakar, ma vive _____ Roma _____ cinque anni.

D) _____ dove sei? Sono _____ Algeri.

Gli alunni della classe

Ciao mi chiamo Tisha, sono bengalese di Dacca. Sono in Italia da tre mesi. La mia famiglia è in Banlgadesh, a Barisal. Ho 27 anni. Il mio compleanno è il 14 settembre, in estate.

Buongiorno mi chiamo Samuel, sono camerunense di Nkon. Sono in Italia da nove mesi. La mia famiglia è in Camerun, a Bamenda. Ho 36 anni. Il mio compleanno è il 10 marzo, in inverno.

Salve mi chiamo Alvaro, sono colombiano di Bogotá. Sono in Italia da un anno. La mia famiglia è qui in Italia da sei mesi. Ho 29 anni. Il mio compleanno è il 6 ottobre, in autunno.

Ciao mi chiamo Rasha, sono algerina di Alger Sono in Italia da due anni. Anche mia famiglia è qu Italia da due ann Ho 19 anni. Il mi compleanno è il aprile, in primav

8 Leggi le presentazioni e rispondi vero (V) o falso (F).

	Vero	Falso
A) La ragazza bengalese è di Dacca	☐	☐
B) Tisha è in Italia da 2 mesi	☐	☐
C) Tisha ha 14 anni	☐	☐
D) Samuel viene da Nkon	☐	☐
E) La famiglia di Samuel non è in Camerun	☐	☐
F) Alvaro è italiano, di Bogotá	☐	☐
G) Alvaro è in Italia	☐	☐
H) Il suo compleanno non è in autunno	☐	☐
I) Rasha è in Algeria	☐	☐
J) La sua famiglia è in Italia da 2 anni	☐	☐
K) Rasha ha 24 anni	☐	☐

9 Scrivi un breve testo come quello dei ragazzi qui sopra. Segui la traccia.

Ciao, mi chiamo _____ ,

sono _____ di

_____ .

La mia famiglia _____ ,

_____ .

_____ anni.

Il mio _____

_____ , in

_____ .

10 Ora fai le domande dei fumetti a un compagno e racconta alla classe le sue risposte.

Come ti chiami?

Da quanto tempo sei in Italia?

Dov'è la tua famiglia?

Quanti anni hai?

Di dove sei?

Quand'è il tuo compleanno?

11 ✏️ **Hanno queste cose? Osserva l'esempio e completa.**

Esempio: Camilla HA un fratello? → Sì, Camilla HA un fratello.
Esempio: Loro HANNO molti amici? → No, loro NON HANNO molti amici.

A) Fiorela HA due figli? → Sì, _____

B) Loro HANNO una macchina? → No, _____

C) Lei HA una bicicletta? → Sì, _____

D) Fatou HA 12 anni? → No, _____

E) Tisha e Sami HANNO un cane? → No, _____

12 ✏️ **Osserva le immagini e completa i fumetti, come nell'esempio.**

Voi quante biciclette AVETE?

Noi ABBIAMO DUE biciclette.

Voi quanti cani AVETE?

Noi _____
_____

Voi _____
_____

Noi _____
_____

13 💬 **E tu? Fai le domande ad un tuo compagno por riferisci le risposte alla classe.**

Quanti fratelli o sorelle hai?
Hai una macchina?
Hai un cellulare?
Quanti familiari hai in Italia?
Hai il ragazzo/ragazza?

14 ✏️ **Completa le frasi con le espressioni contenute nel riquadro.**

ho fame

ha sonno

avete caldo

ho freddo

hai sete

A) Fiorela non ha dormito questa notte e ora _____ _____ .

B) Per favore, chiudi la finestra perché _____ _____ .

C) Potete togliere la sciarpa se voi _____ _____ .

D) Non ho mangiato stamattina e adesso _____ _____ .

E) _____ _____ ? Vuoi un bicchiere d'acqua?

I pronomi NOI - VOI - LORO

ITALIANO	NOI (IO+ALTRI)	VOI (TU+ALTRI)	LORO (LUI/LEI+ALTRI)
INGLESE	WE	YOU	THEY
SPAGNOLO	NOSOTROS / NOSOTRAS	VOSOTROS / VOSOTRAS	ELLOS / ELLAS
FRANCESE	NOUS	VOUS	ILS / ELLES
RUSSO	Мы	Вы	ОНИ
CINESE	我 们	你们	他们 她们
ARABO	نحـن	أنتم- أنتنّ	هم هن

Il verbo STARE

	STARE
IO	**STO**
TU	**STAI**
LUI/LEI	**STA**
NOI	**STIAMO**
VOI	**STATE**
LORO	**STANNO**

15 ✎ **Completa con il verbo STARE.**

1) Il figlio di Ana oggi non _____ bene.

2) Non _____ bene, mi fa male la testa.

3) Come (voi) _____ ?

4) Tu _____ bene? Sei molto pallido.

5) Noi _____ abbastanza bene.

6) Io _____ molto bene.

7) Lei _____ benissimo.

16 ✎ **Unisci le domande alle risposte.**

1) Come stanno i tuoi figli?
2) Come stai oggi?
3) Come stanno i tuoi genitori?
4) Come state?
5) Come sta Mei?

A) Oggi non sto molto bene.
B) Mamma e papà stanno bene.
C) Lei non sta bene, è a casa.
D) Stanno benissimo.
E) Stiamo abbastanza bene.

17 ✎ **Completa con il verbo CHIAMARSI.**

1) Io e mio fratello _____ Sarah e Jon.

2) Voi come _____ ?

3) Le mie amiche _____ Anna e Martina.

4) La mia insegnante _____ Patricia.

5) Tu come _____ ?

6) Io _____ Seba.

7) Noi _____ Omar e Amin.

Il verbo CHIAMARSI

	CHIAMARSI
IO	MI **CHIAMO**
TU	TI **CHIAMI**
LUI/LEI	SI **CHIAMA**
NOI	CI **CHIAMIAMO**
VOI	VI **CHIAMATE**
LORO	SI **CHIAMANO**

Il verbo ESSERE

	ESSERE
IO	SONO
TU	SEI
LUI/LEI	È
NOI	SIAMO
VOI	SIETE
LORO	SONO

18 Completa con il verbo ESSERE.

1) Tu di dove _____ ? Io _____ nigeriano.

2) Da quanto tempo tu _____ in Italia?

3) Da quanto tempo Lamin _____ in Italia?

4) Di dove _____ ? Noi _____ colombiani.

5) Da quanto tempo voi _____ in Italia?

6) Loro _____ in Italia da tre mesi.

19 Sottolinea il verbo corretto per completare la frase.

A) Fran e Bea **sono/siamo** in Italia da 12 anni, mentre noi **siamo/siete** qui da 20 anni.

B) Piacere, io **è/sono** Carl e **sono/siete** tedesco, e voi? **Siamo/Sono** marocchini.

C) Di dove **siete/sono** i tuoi genitori Marwa?

I miei genitori **siamo/sono** nigeriani ma io **sono/è** italiana. Noi **è/siamo** in Italia da 12 anni.

D) Fiorela **sei/è** di Budapest, lo sapevi? No, anche Victor **sei/è** ungherese.

E) La professoressa ha due cani, **sono/siete** dei Labrador.

F) I miei colleghi non stanno bene, **siete/sono** a casa da ieri.

> C'È + nome singolare
> CI SONO + nome plurale

20 Rispondi alle domande cercando informazioni nelle frasi dell'esercizio.

1) Da quanto tempo sono in Italia Fran e Bea?

_____

2) Di dov'è Carl? _____

3) Da quanti anni sono in Italia i genitori di Marwa?

_____

4) Di dov'è Fiorela? E Victor? _____

_____

5) Di che razza sono i cani della prof? _____

_____

6) Dove sono i suoi colleghi? _____

_____

C'è / Ci sono

21 Completa con C'È o CI SONO, come nell'esempio.

In classe _ci sono_ 20 banchi, _c'è_ una lavagna e _____ un bidone della carta. _____ una libreria, nella libreria _____ tanti libri. _____ tre finestre, _____ una porta.

22 💬 Cosa c'é nella tua classe? Raccontalo.

Il verbo AVERE

	AVERE
IO	**HO**
TU	**HAI**
LUI/LEI	**HA**
NOI	**ABBIAMO**
VOI	**AVETE**
LORO	**HANNO**

23 Completa come nell'esempio.

Esempio: Tu quanti figli HAI? HO tre figli.

1) Voi _____ freddo?

   No, non _____ freddo.

2) I tuoi genitori _____ una macchina?

   Sì, mio padre _____ una macchina ma mia madre

   non _____ la patente.

3) Loro _____ una casa in Italia?

   Sì, _____ una casa qui e una in Marocco

4) Noi _____ caldo,

   possiamo aprire o i bambini _____ freddo?

5) Io _____ molta sete, tu _____

   dell'acqua fresca in casa?

24 Completa con la forma corretta del verbo avere.

1) Noi _____ una casa in Cina.

2) I figli di Sami _____ 12 e 13 anni. I tuoi quanti anni _____ ?

3) Diana, _____ sete? Vuoi un bicchiere d'acqua?

4) Io _____ molta fame ma se voi non _____ voglia di mangiare non importa.

5) Quanti anni _____ i tuoi nonni?

6) Nel nostro paese le famiglie giovani _____ molti figli.

7) Mio fratello _____ una nuova ragazza, si chiama Sofia.

25 Per ciascuna risposta crea una domanda adeguata.

A) _____ ?

No, ho mangiato poco fa.

B) _____ ?

Sì, mio fratello ha un bambino e una bambina.

C) Quanti _____ ?

Safia ha 13 anni, mentre Ioussef ne ha 18.

D) _____ ?

No, non abbiamo il quaderno, però abbiamo il libro!

26 In ogni frase c'è un errore! Trovalo, poi riscrivi la frase corretta.

1) I nostri fratelli abbiamo due macchine.

   _____

   _____

2) No, non hai sete grazie, ho la mia bottiglia

   _____

   _____

3) Fiorela ho tre figli in Moldavia.

   _____

   _____

27 Completa la tabella.

	IO	TU	LUI/LEI	NOI	VOI	LORO
AVERE	_____	_____	_____	_____	_____	_____
ESSERE	_____	_____	_____	_____	_____	_____

28 Completa le frasi inserendo il verbo corretto tra ESSERE e AVERE.

| SONO | HO | SONO | ABBIAMO | SEI | SONO | SIETE | HANNO |
| HAI | SONO | SIAMO | SIETE | SIAMO | AVETE | HA | SEI |

1) I miei fratelli _____ in Nigeria mentre io _____ in Italia da tre anni.

2) Noi non _____ ancora una macchina ma presto la compriamo.

3) Oggi io ____ molta fame, mi va una pizza. Tu invece, _____ fame?

4) I miei genitori _____ una casa in Moldavia e una in Italia.

5) Voi _____ gli amici di Sami? No, _____ gli amici di Diana.

6) Voi _____ sonno, vero?

7) Io e mi sorella _____ a casa oggi pomeriggio, voi dove _____?

8) Victor, da quanto tempo _____ in Italia? _____ qui dal 2018.

9) La professoressa _____ molti libri nella borsa!

10) Tu _____ il fratello di Fallou, vero? Sì, _____ suo fratello minore.

29 Osserva la foto e completa le frasi corrispondenti con essere o avere.

1) La ragazza _____ un cane.

2) Il cane _____ bianco e piccolo.

3) Lei _____ una bicicletta.

4) Lei _____ mora.

5) Lei _____ una giacca verde.

6) Lei _____ i capelli neri.

7) I suoi capelli _____ lunghi.

8) In mano lei _____ la bici.

9) Lei _____ i jeans.

10) I pantaloni _____ lunghi.

11) La sua maglietta _____ bianca.

12) Loro _____ felici.

30 Completa le seguenti domande con il verbo giusto tra ESSERE e AVERE.

A) Voi da quanto tempo _____ in Italia?

B) Quanti anni _____ Satoko?

C) Tu _____ sete?

D) Dove _____ i tuoi genitori?

E) Io _____ Senegalese, tu di dove _____ ?

F) Quanti anni _____ i tuoi fratelli?

G) Maria _____ una bicicletta nuova?

H) Voi _____ molti amici qui?

I nomi e gli articoli UN – UNA

GRUPPO	SINGOLARE	PLURALE
GRUPPO 1 (femminile)	UNA CAS-**A**	CAS-**E**
GRUPPO 2 (maschile)	UN LIBR-**O**	LIBR-**I**
GRUPPO 3 (femminile) (maschile)	**UN** PIED-**E** (maschile) **UNA** CHIAV-**E** (femminile)	PIED-**I** CHIAV-**I**

31 Trasforma ogni parola dal singolare al plurale.

A) Ragazza → _____

B) Porta → _____

C) Italiano → _____

D) Cane → _____

E) Cellulare → _____

F) Bambina → _____

G) Chiave → _____

H) Amico → _____

I) Giorno → _____

J) Anno → _____

K) Africano → _____

L) Madre → _____

32 Inserisci l'articolo mancante tra UN/UNA.

A) C'è _____ amico davanti alla porta.

B) C'è _____ bambina al parco.

C) C'è _____ uomo alto fuori.

D) C'è _____ casa bellissima.

E) C'è _____ chiave rossa sul tavolo.

F) C'è _____ zia di Sami.

G) C'è _____ albero di fichi.

H) C'è _____ negozio.

33 Sono singolari o plurali? Inserisci le parole nella colonna giusta!

matita | telefono | divani | sedie | tavolo | finestre | macchine | alberi

tazze | africani | amico | libro | penna | bicicletta | capelli | cappello

SINGOLARI	PLURALI

Trova gli errori nelle seguenti trasformazioni singolare → plurale e poi correggile.

34

A) Maestra → maestri

_____

B) Quaderno → quaderne

_____

C) Tazza → tazzi

_____

D) Pianta → pianti

_____

E) Italiano → italiane

_____

F) Borsa → borsi

_____

"La lettera G"

2

SUONO DOLCE G + I   G + E

G + I = GI ⟶ GIRAFFA

G + E = GE ⟶ GELATO

G + IA = GIA ⟶ GIARDINO

G + IO = GIO ⟶ GIOSTRA

G + IU = GIU ⟶ GIUBBOTTO

SUONO DURO G + tutte le altre lettere

G + A = GA ⟶ GABBIANO

G + O = GO ⟶ GOMMA

G + U = GU ⟶ GUFO

G + L = GL ⟶ GLUTEO

G + R = GR ⟶ GRANO

ATTENTI!

G + HI = GHI ⟶ GHIANDA

G + HE = GHE ⟶ TRAGHETTO

---

35 **Ascolta i suoni e poi ripeti.**

GA - GO - GU - GHI - GHE - GI - GE
GLU - GRO - GIO - GIA - GEO - GEA

36 **Leggi le parole.**

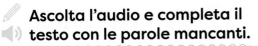

GIUSTO	GIÚ	GIGANTE
GUASTO	ANGELO	PAGINA
GHIACCIO	GIOCARE	GEOGRAFIA
GHEPARDO	SPAGHETTI	RIGA
GINOCCHIO	GHIRLANDA	RIGHE
GIÀ	GUSTO	VIAGGIO

37 **Scrivi le parole che senti.**

1) _____
2) _____
3) _____
4) _____
5) _____
6) _____
7) _____
8) _____
9) _____
10) _____
11) _____
12) _____

38 **Ascolta l'audio e completa il testo con le parole mancanti.**

LE MIE GIORNATE D'INVERNO

Amo l'inverno! Ogni mattina mi sveglio e _____ fuori dalla finestra, i prati sono tutti _____ e sono pochi gli uccellini che ancora _____.

Le strade ancora _____ sembrano attendere l'arrivo del sole. Per scaldarmi un po' mi preparo una buonissima tazza di caffè caldo e _____ qualche biscotto fatto in casa: adoro _____ cose buone preparate con le mie mani! Subito mi lavo denti e faccia e sono pronta per indossare la mia divisa _____: camicia a _____ bianche e blu, _____ rossa e pantaloni _____. Lavoro in un supermercato e siamo tutti molto colorati! Prima di uscire non posso dimenticare il mio _____ pesante e i miei adorati _____ di lana. Un'altra mattinata è finita e sono pronta per un nuovo bellissimo _____ d'inverno.

I numeri

39 Ascolta e scrivi i numeri.

11) _____
12) _____
13) _____
14) _____
15) _____
16) _____
17) _____
18) _____
19) _____

40 Scrivi i seguenti numeri in cifra

VENTI _____
VENTITRE _____
VENTISEI _____
VENTINOVE _____
VENTUNO _____
VENTIQUATTRO _____
VENTISETTE _____
VENTIDUE _____
VENTICINQUE _____
VENTOTTO _____

41 Ascolta i seguenti numeri e scrivi quelli mancanti.

30 / TRENTA	40 / QUARANTA	50 / CINQUANTA	60 / SESSANTA
TRENTUNO	_____	CINQUANTUNO	SESSANTUNO
TRENTADUE	QUARANTADUE	_____	SESSANTADUE
TRENTATRÉ	QUARANTATRÉ	CINQUANTATRÉ	_____
_____	QUARANTAQUATTRO	CINQUANTAQUATTRO	SESSANTAQUATTRO
TRENTACINQUE	_____	CINQUANTACINQUE	SESSANTACINQUE
TRENTASEI	QUARANTASEI	_____	SESSANTASEI
_____	QUARANTASETTE	CINQUANTASETTE	_____
TRENTOTTO	QUARANTOTTO	_____	SESSANTOTTO
TRENTANOVE	_____	CINQUANTANOVE	SESSANTANOVE

70 / SETTANTA	80 / OTTANTA	90 / NOVANTA	100 / CENTO
SETTANTUNO	_____	NOVANTUNO	
_____	OTTANTADUE	_____	
SETTANTATRÉ	OTTANTATRÉ	NOVANTATRÉ	
SETTANTAQUATTRO	_____	NOVANTAQUATTRO	
_____	OTTANTACINQUE	NOVANTACINQUE	
SETTANTASEI	OTTANTASEI	_____	
SETTANTASETTE	_____	NOVANTASETTE	
_____	OTTANTOTTO	NOVANTOTTO	
SETTANTANOVE	OTTANTANOVE		

42 Scrivi i numeri in lettere.

31 _____   42 _____   59 _____

64 _____   75 _____   86 _____

97 _____   66 _____   78 _____

43 Ora uno alla volta contate fino a 100. Ma attenzione ogni cinque numeri anziché dire il numero che vi corrisponde dovete battere le mani.

Esempio: 1, 2, 3, 4 (battito), 6, 7, 8, 9 (battito)...

Qual è il tuo numero di telefono?

Qual è il tuo numero di cellulare?

33810875634

Scusa, puoi ripetere per favore?

Certo, 33810875634

44 Ascolta i numeri di telefono e marca quello giusto.

- ○ 33910987345
- ○ 33810977246
- ○ 32890654723
- ○ 32890645722
- ○ 33134562432
- ○ 33134572223

45 Ora chiedi il numero di cellulare a un tuo compagno e riferiscilo alla classe.

Il suo numero di cellulare è

_____

Il compleanno

IL MIO COMPLEANNO
È IL 12 AGOSTO,
IN ESTATE. QUANDO
È IL TUO COMPLEANNO?

IL MIO COMPLEANNO È

_____

46  Ascolta e leggi la canzone degli auguri.

TANTI AUGURI A TE,
TANTI AUGURI A TE,
TANTI AUGURI CARA
....
TANTI AUGURI A TE!

" Le stagioni e i mesi "

INVERNO

**Gennaio
Febbraio
Marzo**

PRIMAVERA

**Aprile
Maggio
Giugno**

ESTATE

**Luglio
Agosto
Settembre**

AUTUNNO

**Ottobre
Novembre
Dicembre**

30 GIORNI HA NOVEMBRE / CON APRILE, GIUGNO E SETTEMBRE
DI 28 CE N'È UNO / TUTTI GLI ALTRI NE HAN 31

RELAX

**Sfida finale:
risolvi il cruciverba!**

VERTICALI

1. Settanta - Quattro
3. Novantanove + Uno
5. Settanta + Dieci
7. Viene dopo il venti
9. Il primo mese dell'anno
11. Settantotto + Due
12. Giorno in cui festeggi la tua nascita
13. Il mese del Natale

ORIZZONTALI

2. Tra marzo e maggio
4. Viene prima dell'inverno
6. Ventinove + Quattro
8. La stagione che va da luglio a settembre
10. Prima di agosto
14. Tra l'inverno e l'estate
15. Tra settembre e novembre

MODI DI DIRE

MA SEI FUORI?!
Si dice a una
persona che sta
dicendo cose
sciocche.

3 La famiglia

"Amira e la sua famiglia"

Ciao, mi chiamo Amira ho 18 anni. Sono nata a Milano, in Italia, il 30 ottobre 2003. Mia madre si chiama Cristiana è italiana, ha 43 anni. Mio padre si chiama Imad è egiziano, ha 40 anni, è nato a Hurghada, in Egitto. É in Italia da 25 anni. I miei genitori sono sposati da 20 anni. Ho un fratello, si chiama Felix, ha 16 anni. Ho anche una sorella più piccola, si chiama Tara e ha 6 anni. I miei nonni italiani vivono qua a Milano, invece i miei nonni paterni sono in Egitto. Vado in Africa ogni due anni.

1 Leggi il testo e rispondi vero o falso.

	Vero	Falso
A) Amira non è di Milano		
B) Lei è nata in autunno		
C) Ha più di 16 anni		
D) I suoi genitori sono italiani		
E) Sua madre è nata in Italia		
F) Imad è suo fratello		
G) Il padre è in Italia da 20 anni		
H) Suo fratello ha 16 anni		
I) Amira ha un fratello e una sorella		
J) I nonni di Amira sono tutti in Italia		

2 Inserisci le informazioni su Amira.

Amira ___ _____ anni. È nata a _____ nel 2003. Il suo compleanno è il ____ _____. I suoi genitori si chiamano _____ e _____ e sono sposati ____ 20 anni. Suo fratello Felix ____ 16 _____, mentre sua sorella Tara ____ più piccola. I suoi nonni italiani _____ a Milano mentre quelli _____ sono ____ Egitto.

3 Rispondi alle domande. Poi fai le domande a un tuo compagno/a e racconta le risposte alla classe.

1) Tu dove sei nato/a?

_____

2) Quando sei nato/a?

_____

3) Hai fratelli o sorelle?

_____

4) Sei sposato/a?

_____

5) Hai figli?

_____

4 ✎ **Scrivi nello spazio il nome dei tuoi familiari.**

| MIO NONNO | MIA NONNA | MIO NONNO | MIA NONNA |

| MIO ZIO | MIA PADRE | MIA MADRE | MIA ZIA |

| MIO FRATELLO | | MIA SORELLA |

| IO | MIO MARITO / MIA MOGLIE |

| MIO FIGLIO | MIA FIGLIA |

5 💬 **Descrivi la tua famiglia ai compagni. Aiutati con il disegno dell'esercizio 4.**

6 ✎ **Traduci nella tua lingua.**

Il marito _____

Il padre _____

Il fratello _____

Il figlio _____

Il nonno _____

Lo zio _____

Il cugino _____

Il suocero _____

La moglie _____

La madre _____

La sorella _____

La figlia _____

La nonna _____

La zia _____

La cugina _____

La suocera _____

7 🔊 ✎ **Ascolta e completa il testo.**

Ciao mi chiamo Michele, sono _____ e vivo a Firenze con la mia _____. Mia _____ si chiama Fiorela ed è albanese, mio _____ si chiama Giovanni ed è italiano. Ho un _____ di 12 anni e una _____ di 15, io sono il più grande perché ho ___ anni. Viviamo vicino ai nostri _____, Marisa e Franco, loro sono i genitori di mio padre. Lui ha un _____, Giorgio, che è sposato con la _____ Sandra. Hanno due _____ che hanno la mia età, si chiamano Luca e Anna. Siamo una bella famiglia!

8 🔊 ✎ **Ascolta di nuovo e correggi, poi completa le frasi.**

A) Marisa è la _____ di Michele.

B) Franco è il _____ di Giorgio.

C) Giorgio è lo _____ di Michele.

D) Michele è il _____ di Anna.

E) Anna è la _____ di Luca.

F) Fiorela è la _____ di Giovanni.

G) Franco è il _____ di Fiorela.

Lavori o studi?

Amira: Ciao Fallou, tu lavori qui vicino?

Fallou: No, io lavoro a Fano, però abito qui a Pesaro, in via Rossi. Tu dove abiti?

Amira: A Rimini, anche tuo fratello abita lì, vero?

Fallou: Sì, perché studia a Rimini. Tu lavori o studi?

Amira: Vado a scuola dal lunedì al venerdì e lavoro nel fine settimana.

Fallou: Cosa studi?

Amira: Studio italiano da 4 anni.

9 Leggi e rispondi.

A) Dove abita Fallou? Fallou abita _____

B) Dove lavora Fallou? Fallou lavora _____

C) Dove abita Amira? Amira _____

D) Dove abita il fratello di Fallou? Il fratello di Fallou _____

E) Cosa fa Amira il sabato e la domenica? _____

F) Cosa fa Amira da 4 anni? _____

10 Cerca i verbi mancanti nel testo e completa la tabella.

	LAVOR**ARE**	STUDI**ARE**	ABIT**ARE**
IO	_____	_____	_____
TU	_____	_____	_____
LUI/LEI	_____	_____	_____

11 Osserva la tabella e completa.

I VERBI CHE TERMINANO IN –ARE:

- se il soggetto è "**IO**" finiscono con la lettera _____
- se il soggetto è "**TU**" finiscono con la lettera _____
- se il soggetto è "**LUI/LEI**" finiscono con la lettera _____

Rispondi alle domande, poi chiedi a un compagno e scrivi le sue risposte.

12

Io abito _____

_____

_____

_____

_____

1) Dove abiti?

2) Con chi abiti?

3) Lavori o studi?

4) Dove lavori?

5) Dove studi?

Il mio compagno _____

_____

_____

_____

_____

" E tu dove vai? "

Fiorela: Dopo la lezione vai a casa?

Evis: No, prima vado a mangiare e poi
a lavorare. Tu?

Fiorela: Vado a casa di mia sorella.
Tu dove vai a mangiare di solito?

Evis: Vado sempre a prendere un panino
al supermercato.

Fiorela: Io e Alí andiamo spesso al bar
e qualche volta lui va al ristorante.

Evis: Io non vado mai al bar!

Fiorela: Allora lunedì andiamo a mangiare
fuori tutti insieme!

Evis: Va bene!

Fiorela: A lunedì!

OSSERVA

A + FARE QUALCOSA
A mangiare
A studiare
A dormire
A lavorare

AL + LUOGO
AL supermercato
AL mercato
AL bar
AL ristorante

MA ATTENZIONE!
A CASA
A SCUOLA

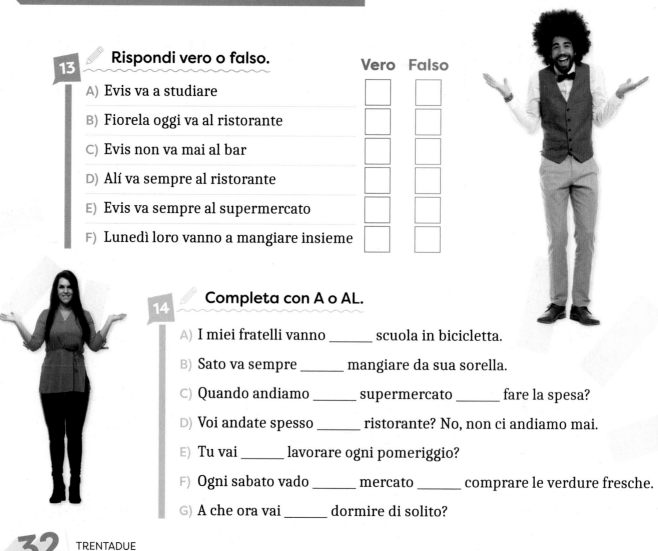

13 ✏ **Rispondi vero o falso.**

	Vero	Falso
A) Evis va a studiare	☐	☐
B) Fiorela oggi va al ristorante	☐	☐
C) Evis non va mai al bar	☐	☐
D) Alí va sempre al ristorante	☐	☐
E) Evis va sempre al supermercato	☐	☐
F) Lunedì loro vanno a mangiare insieme	☐	☐

14 ✏ **Completa con A o AL.**

A) I miei fratelli vanno _____ scuola in bicicletta.

B) Sato va sempre _____ mangiare da sua sorella.

C) Quando andiamo _____ supermercato _____ fare la spesa?

D) Voi andate spesso _____ ristorante? No, non ci andiamo mai.

E) Tu vai _____ lavorare ogni pomeriggio?

F) Ogni sabato vado _____ mercato _____ comprare le verdure fresche.

G) A che ora vai _____ dormire di solito?

"Quante volte?"

MAI — VOI **NON** ANDATE **MAI** AL BAR

QUALCHE VOLTA — NOI **QUALCHE VOLTA** ANDIAMO AL RISTORANTE

SPESSO — TU VAI **SPESSO** AL MERCATO

SEMPRE — IO VADO **SEMPRE** AL CORSO DI ITALIANO

💬🖉 **Parla con un tuo compagno e metti un X quando fai e fa queste cose. Poi raccontalo alla classe. Guarda l'esempio.**

15

Quando vai a dormire tardi?

Io qualche volta dormo fino a tardi.
Andrea (compagno/a) dorme sempre fino a tardi.

ATTIVITÀ	MAI		QUALCHE VOLTA		SPESSO		SEMPRE	
	Io	Comp.	Io	Comp.	Io	Comp.	Io	Comp.
Dormire fino a tardi			X					X
Andare al ristorante								
Andare al bar								
Andare al supermercato								
Guardare la tele								
Cucinare								
Parlare nella tua lingua								
Tagliare i capelli								
Studiare italiano								

I verbi al presente

IN ITALIANO CI SONO TRE GRUPPI DI VERBI

PRIMO GRUPPO
- ARE
ABIT - ARE
SECONDO GRUPPO
- ERE
SCRIV - ERE
TERZO GRUPPO
- IRE
PART - IRE

I verbi al presente -ARE

	ABIT - ARE
IO	**ABIT** - O
TU	**ABIT** - I
LUI/LEI	**ABIT** - A
NOI	**ABIT** - IAMO
VOI	**ABIT** - ATE
LORO	**ABIT** - ANO

16 ✏ Ora prova tu.

	PARL - ARE			LAVOR - ARE			STUDI - ARE
IO	**PARL** - O	IO	**LAVOR** _____	IO	**STUDIO**
TU	**PARL** - I	TU	**LAVOR** _____	TU	_____
LUI/LEI	**PARL** - A	LUI/LEI	**LAVORA**	LUI/LEI	_____
NOI	**PARL** - IAMO	NOI	**LAVOR** _____	NOI	**STUDIAMO**
VOI	**PARL** - ATE	VOI	**LAVORATE**	VOI	_____
LORO	**PARL** - ANO	LORO	**LAVOR** _____	LORO	_____

17 ✏ Quanti verbi conosci in -ARE? Scrivili con i compagni.

_____

_____

_____

_____

18 ✏ Completa con i pronomi IO-TU-LUI / LEI -NOI-VOI-LORO.

_____ viaggi	_____ aspetta	_____ cerchiamo
_____ mangiano	_____ studio	_____ sono
_____ sta	_____ siete	_____ parla
_____ ascoltate	_____ abbiamo	_____ firmi

19 ✏ Scrivi i seguenti verbi nella colonna giusta.

stai	lavano	guardi	balla
ascolto	mangio	chiami	
parlate	cucina	studiamo	
lavora	suonate	tagliamo	
cantano	pulite	compro	

IO	TU	LUI/LEI	NOI	VOI	LORO

20 Sottolinea il verbo corretto.

Io mi **CHIAMO/CHIAMIAMO** Timur e sono moldavo, **ABITI/ABITO** in Italia
da tre anni dove **LAVORO/LAVORA** come cameriere in un ristorante. I miei fratelli
ABITIAMO/ABITANO in Francia. Loro **STUDIANO/STUDIATE** il francese mentre
io **STUDIA/STUDIO** l'italiano. Mia madre è in Moldavia e non **PARLA/PARLI**
l'italiano. Quando noi ci **CHIAMIAMO/CHIAMANO** al telefono **PARLI/PARLIAMO**
in moldavo. Il mese prossimo mia madre **COMINCIO/COMINCIA** a studiare
l'italiano perché viene a vivere qui. E tu? Che lingue **PARLI/PARLA**?

21 Completa le frasi come nell'esempio.

Esempio: Maria (mangiare) **MANGIA** sempre a casa di sua nonna.

A) Noi (lavorare) _____ a Pesaro in un ristorante.

B) I miei genitori (guardare) _____ la tv in lingua francese.

C) Io (parlare) _____ tre lingue: russo, italiano e spagnolo.

D) Mia sorella (giocare) _____ a pallavolo in serie C.

E) Voi (studiare) _____ anche l'inglese?

F) Io e mio zio (abitare) _____ a Firenze da quattro anni.

G) Noi spesso (studiare) _____ insieme in biblioteca.

22 Ogni frase ha un errore: trovalo e correggilo.

A) Marcus e Anna balliamo il tango da tre anni → _____

B) I miei genitori parla il russo e io parlo l'italiano → _____

C) Lui porti i figli a scuola con l'autobus → _____

D) Mohamed lavoro a Roma e Sato studia a Napoli → _____

E) Da quanto tempo studiano inglese voi? → _____

F) Mio fratello sta bene, voi come stai? → _____

23 Abbina le domande alle risposte corrette.

1) Abitate a Bari?

2) Abiti in via Rossini?

3) Studiano il russo?

4) Lei gioca a calcio?

5) Quando cominci a studiare?

A) No, parlano solo il francese

B) Sì, giochiamo insieme dal 2019

C) Inizio alle 16.00

D) No, abitiamo a Lecce

E) Sì, abito vicino alla farmacia

I verbi irregolari

ANDARE	
IO	**VADO**
TU	**VAI**
LUI/LEI	**VA**
NOI	**ANDIAMO**
VOI	**ANDATE**
LORO	**VANNO**

24 Completa le frasi con il verbo andare.

A) Io _____ a scuola tutti i lunedì.

B) Voi _____ spesso al supermercato.

C) Mio zio _____ a lavorare tutti i giorni.

D) Noi _____ al mare tutte le estati.

E) I miei cugini _____ sempre a casa da soli.

F) Tu qualche volta _____ a mangiare al ristorante cinese?

G) Lei _____ spesso al cinema, le piace molto.

25 Dove vanno? Scrivi delle frasi osservando le immagini.

Esempio:
Loro VANNO AL MARE.

1

2

3

4

1) Lei _____ ____ R _____ E

2) Noi _____ ____ S _____ O

3) Voi _____ ____ S _____ A

4) Tu _____ ____ C ____ A?

26 Completa con il verbo andare e con i luoghi giusti.

| in farmacia | al supermercato | alla stazione | al comune | alle poste | dal meccanico |

Esempio: Quando mi serve una medicina io **VADO IN FARMACIA**.

A) Quando hai la macchina rotta tu _____ _____

B) Quando dobbiamo prendere un treno noi _____ _____

C) Quando vuole spedire un pacco lei _____ _____

D) Quando dovete fare la spesa voi _____ _____

E) Quando devi fare i documenti tu _____ _____

27  **Parla con un amico.** Dove vai oggi dopo la lezione? Quante volte a settimana vai al supermercato (spesso, mai...)? Dove vai il sabato sera? Dove vai a fare la spesa? In quali giorni vai a scuola? Dove vanno a scuola i tuoi amici/fratelli/figli? Vai spesso a trovare la tua famiglia? Dove?

I suoni GLI e GN

G + L + I = **GLI** 🔊

FIGLI

FAMIGLIA

MOGLIE

FIGLIO

28 🔊 💬 Senti la differenza, poi ripeti.

OLIO

AGLIO

ITALIA

MAGLIA

29 🔊 ✏️ Ascolta le parole e scrivi GLI oppure LI.

1) MA ____ ONE   3) VO ____ A   5) PETRO ____ O   7) MI ____ ONE   9) FO ____ A

2) BOTTI ____ A   4) SICI ____ A   6) O ____ VA   8) CAVA ____ ERE   10) LU ____ O

G + N = **GN** 🔊

MONTAGNA

MONTAGNE

BAGNI

BAGNO

30 🔊 Ascolta le parole e e ripeti.

1) GNOCCHI   3) ROMAGNA   5) MONTAGNA   7) CASTAGNA   9) PUGNO

2) BAGNO   4) GIUGNO   6) LAVAGNA   8) GNOMO   10) INSEGNANTE

31 🔊 ✏️ Scrivi le parole che senti.

1) _____   3) _____   5) _____   7) _____

2) _____   4) _____   6) _____   8) _____

" I numeri "

32 🔊 👁 **Leggi e ascolta.**

100 cento
101 centouno
120 centoventi
199 centonovantanove

200 duecento
302 trecentodue
530 cinquecentotrenta
888 ottocentoottantotto

900 novecento
906 novecentosei
951 novecentocinquantuno
999 novecentonovantanove

1000 mille
1001 milleuno
1110 millecentodieci
1995 millenovecentonovantacinque

30.230 trentamiladuecentotrenta
80.000 ottantamila
100.000 centomila
900.000 novecentomila

2.000 duemila
3.560 tremilacinquecentosessanta
7.004 settemilaquattro
10.000 diecimila

1.000.000 un milione
2.000.000 due milioni
10.000.000 dieci milioni

33 🖊 🔊 **Ascolta e sottolinea il numero che senti.**

A) 728 / 312 / 322 / 7028

B) 1.000.000 / 10.000 / 101 / 1.110

C) 523 / 5023 / 50.523

D) 4200 / 420 / 4.000.020

E) 2.000 / 2.000.000 / 200.000

F) 1923 / 2023 / 223

Chi è più veloce? Sfida un compagno: leggete ad alta voce, il primo che lo legge nel modo corretto vince un punto.

35 💬

A) 1.234   G) 5.000.500

B) 323.450   H) 534

C) 8.786   I) 202

D) 4.560   J) 9.380

E) 1.012   K) 1.000.001

F) 378

34 🖊 **Completa il testo scrivendo i numeri in cifre.**

L'Italia ha circa (60 milioni) _____

di abitanti di cui (cinque milioni trentacinquemila

seicentoquarantatre) _____

sono stranieri. Di questi (centodiecimila) _____

sono senegalesi, (quattrocentoventimila) _____

sono albanesi, (trecentonovemila) _____

sono cinesi. Secondo una ricerca del

(duemiladiciannove) _____ gli stranieri

più numerosi in Italia sono i rumeni con (un milione

duecentomila) _____ residenti

in Italia. E tu di che nazionalità sei? Sai quanti sono gli

abitanti della tua stessa nazionalità che vivono in Italia?

Gli aggettivi per descriversi

...NO...

 alto/a

 basso/a

 magro

 robusto

 castano/a

 biondo/a

moro/a

 rossi

 lunghi

 corti

 ricci

 lisci

 ondulati

...O GLI OCCHI...

 neri

 verdi

 azzurri

 marroni

...NO...

 ...mpatico/a

 antipatico/a

 timido/a

 socievole

 intelligente

 gentile

36 ✏️ **Ascolta e completa come nell'esempio.**

	È...	HA I CAPELLI...	HA GLI OCCHI...	È...
OMAR	*basso e robusto*	*lunghi e lisci*	*marroni*	*gentile e simpatico*
ADELE	_____	_____	_____	_____
CHRISTIAN	_____	_____	_____	_____

37 💬 Ora descrivi come sei tu ai tuoi compagni.

RELAX

Pensa a un tuo compagno/a; gli altri ti fanno delle domande e tu puoi rispondere solo sí o no. Vince chi indovina chi é.

MODI DI DIRE

DAI I NUMERI?
Si dice a una persona che dice cose senza senso

4 Il lavoro

"Dove lavori?"

Olga:	Piacere, io sono Olga.
Mirela:	Ciao, mi chiamo Mirela.
Olga:	Da quanto tempo sei in Italia?
Mirela:	Da tre anni, mio marito lavora in Italia dal 2016.
Olga:	Che lavoro fa tuo marito?
Mirela:	Fa l'operaio, lavora in fabbrica. Tu?
Olga:	Anche io lavoro, faccio la badante. Tu lavori?
Mirela:	No, però cerco lavoro, quante ore al giorno lavori?
Olga:	Sette, quando lavoro il mattino inizio alle 8, il pomeriggio inizio alle 16.
Mirela:	Io ho tre figli e posso lavorare solo il mattino quando loro sono a scuola.
Olga:	In un negozio di frutta e verdura cercano una commessa.
Mirela:	Dove?
Olga:	In via Puglie, vicino alla farmacia.
Mirela:	Grazie mille, vado a chiedere informazioni.
Olga:	Buona fortuna!

---

1 ✎ **Rispondi vero o falso, poi correggi quelle false.**

	Vero	Falso	
A) Mirela è in Italia dal 2016	☐	☐	_____
B) Mirela non lavora	☐	☐	_____
C) Il marito di Olga fa l'operaio	☐	☐	_____
D) Olga lavora di notte	☐	☐	_____
E) Mirela il mattino va a scuola	☐	☐	_____
F) Cercano una commessa in farmacia	☐	☐	_____

2 ✎ **Scegli la domanda giusta per ogni risposta.**

| Dove lavori? | Che lavoro fai? | Che lavoro ti piace fare? |

| Da quanto tempo lavori? | Quante ore al giorno lavori? |

A) _____ - Faccio il cameriere.

B) _____ - Lavoro in una pizzeria a Verona.

C) _____ - Lavoro da tre mesi.

D) _____ - Mi piace fare l'operaio.

E) _____ - Tre ore il mattino e tre il pomeriggio.

3 ✎ **Che lavoro fa? Dove lavora? Guarda le immagini e collega.**

A) Omar fa il medico e lavora in ospedale.

B) Eni fa il benzinaio e lavora alla stazione di servizio.

C) Peppe fa il muratore e lavora nei cantieri.

D) Lina fa l'operaia e lavora in fabbrica.

E) Laura fa la badante e lavora a casa.

F) Tisha fa la segretaria e lavora in ufficio.

G) Lin fa il cameriere e lavora al ristorante.

4 🔊 ✎ **Ascolta i testi e scrivi una X se ai personaggi piace o no il loro lavoro.**

Marco	Gli piace	Non gli piace		Tina	Le piace	Non le piace
Liang	Gli piace	Non gli piace		Mustafá	Gli piace	Non gli piace
Carmen	Le piace	Non le piace		Olga	Le piace	Non le piace

"Che ore sono?"

IN PUNTO

E UN QUARTO

E MEZZA

MENO UN QUARTO

 SONO LE DUE IN PUNTO

 SONO LE DUE E UN QUARTO
SONO LE DUE E QUINDICI

 SONO LE DUE E MEZZA
SONO LE DUE E TRENTA

 SONO LE DUE E TRE QUARTI
SONO LE DUE E QUARANTACINQUE
SONO LE TRE MENO UN QUARTO

 È L'UNA
È MEZZOGIORNO
È MEZZANOTTE

ATTENZIONE!

In italiano si usano anche le 24 ore:
- dopo le 12 si continua a contare...
- le 13 corrispondono all'1 e così via...

Esempio:

Sono le dieci e dieci

Sono le ventidue e dieci

5 Ascolta e marca l'orario corretto.

(A)

○ ○ ○ ○

(B)

○ ○ ○ ○

(C)

○ ○ ○ ○

6 Guarda gli ororologi e scrivi le ore.

12:13 _____
_____

16:29 _____
_____

00:00 _____

13:00 _____
_____

4:50 _____

9:45 _____
_____

23:15 _____

17:30 _____

7 **Ascolta e guarda l'agenda di Fatima poi rispondi alle domande.**

1) A che ora ha il dentista?
_____

2) Che giorno e a che ora ha il caffè con Sara?
_____

3) Da che ora a che ora va in biblioteca?
_____

4) Quando va a fare il regalo alla mamma?
_____

5) Cosa fa venerdì?
_____

6) A che ora va al cinema?
_____

7) Cosa fa domenica?
_____

Lunedì	Dentista (h 9:00)
Martedì	Caffè con Sara (h 14:00)
Mercoledì	Biblioteca (h 9-12)
Giovedì	Fare regalo alla mamma (h 15)
Venerdì	Pranzo di lavoro (h13)
Sabato	Cinema (h 21)
Domenica	Giornata in campagna

8 Ora completa anche tu, nel tuo quaderno l'agenda come ha fatto Fatima. Poi racconta la tua settimana ai compagni.

9 **Leggi e rispondi con V/F.**

Ciao mi chiamo Aziz e faccio l'operario. Lavoro in fabbrica. Faccio i turni: una settimana lavoro dalle 6 alle 14 e la settimana dopo dalle 14 alle 22. È molto faticoso ma i miei colleghi sono molto simpatici e la giornata mi passa velocemente.

Ciao mi chiamo Rina, faccio la segretaria in un ufficio. Lavoro part-time: solo al mattino dalle 8 alle 13, così il pomeriggio mi occupo dei miei bambini. Mi piace molto il mio lavoro anche se, a volte, il mio capo è troppo esigente.

Ciao mi chiamo Roberto faccio il cameriere in un ristorante. Lavoro otto ore al giorno: dalle 11 alle 15 e dalle 18 alle 22. Mi piace molto il mio lavoro perché sono sempre a contatto con la gente e posso conoscere molte persone.

	Vero	Falso			Vero	Falso
A) Aziz lavora 8 ore al giorno	☐	☐	F) A Rina non piace il suo lavoro		☐	☐
B) Aziz lavora solo di mattina	☐	☐	G) Roberto lavora a pranzo e a cena		☐	☐
C) I colleghi di Aziz sono faticosi	☐	☐	H) A Roberto piace molto il suo lavoro		☐	☐
D) Rina fa i turni	☐	☐	I) Roberto lavora in un bar		☐	☐
E) Rina lavora il pomeriggio	☐	☐				

10 Scrivi un testo nel tuo quaderno dove racconti che lavoro fai in Italia o pensa ai tuoi amici/famigliari e scrivi: che lavoro fanno? Dove lavorano? Da quanto tempo?

Il presente dei verbi in -ARE -ERE -IRE

*Come puoi vedere per formare i verbi in -ARE, -ERE e -IRE si cambiano:
- la 3 pers. sing. -A , -E
- la 2 pers. plur. -ATE, -ETE, -ITE
- la 3 pers. plur. -ANO, -ONO

	ARE	ERE	IRE
IO	-O	-O	-O
TU	-I	-I	-I
LUI/LEI	-A*	-E*	-E*
NOI	-IAMO	-IAMO	-IAMO
VOI	-ATE*	-ETE*	-ITE*
LORO	-ANO*	-ONO*	-ONO*

11 ✎ Completa.

	PARL-**ARE**	SCRIV-**ERE**	PART-**IRE**
TU	PARL-_____	SCRIV-O	_____
IO	PARL-_____	_____-I	_____-I
LUI/LEI	_____-A*	_____-E*	_____-E*
NOI	_____	SCRIV-IAMO	_____
VOI	_____-ATE*	_____-ETE*	_____-ITE*
LORO	_____	_____-ONO*	_____

12 ✎ Scrivi il pronome (IO/TU/LUI/LEI/NOI/VOI/LORO) dei seguenti verbi.

_____ studi _____ viaggia _____ cuciniamo _____ cucinate _____ cucinano

_____ prendo _____ prende _____ prendiamo _____ prendete _____ prendono

_____ dormo _____ dormi _____ dorme _____ dormite _____ dormono

13 ✎ Sottolinea il verbo giusto per completare la frase.

1) (PARTIRE) Noi domani **partiamo/partono** per il Marocco

2) (DORMIRE) Mia figlia **dormi/dorme** fino alle 11.00 di domenica.

3) (PRENDERE) Semir e Fiorela **prendono/prende** tutti i giorni il treno.

4) (CHIAMARE) Tu **chiama/chiami** spesso la tua famiglia?

5) (MANGIARE) Io non **mangio/mangia** mai piatti cinesi.

6) (VEDERE) Fatou e Mohamed **vedono/vediamo** spesso i loro figli.

7) (SPENDERE) Noi **spendiamo/spendo** 100€ al mese per il gas.

8) (LAVARE) Voi **lavi/lavate** spesso la macchina?

9) (DORMIRE) Loro **dorme/dormono** a casa di Aziz.

10) (STUDIARE) Io **studia/studio** italiano da tre anni.

14 ✎ Scrivi i verbi nella colonna giusta.

partiamo	scrivi	giocate	telefonano	compro	guidiamo
paga	lavano	chiudiamo	prendi	vede	lavorano
porto	sente	chiamate	apro	mangi	cucinate

IO	TU	LUI/LEI	NOI	VOI	LORO

15 ✎ Coniuga il verbo tra parentesi.

1) (PARLARE) I miei fratelli _____ italiano.

2) (PRENDERE) Voi _____ qualcosa da bere? Io _____ un tè.

3) (CUCINARE) Samir e Medi _____ bene, io invece non _____

4) (SCRIVERE) Tu _____ spesso alla tua famiglia in Senegal?

5) (TELEFONARE) Io _____ alla mia famiglia una volta al giorno.

6) (DORMIRE) Fino a che ora _____ tu e tuo marito?

7) (PARTIRE) A che ora _____ tu per andare a lavorare? Io _____ alle 8.

8) (GUARDARE) Io e Fallou _____ la televisione ogni sera.

9) (RIPOSARE) Mia figlia _____ quando torna da scuola.

10) (APRIRE) Il ristorante _____ alle 20.00.

11) (GUIDARE) Io _____ da quando ho 22 anni.

12) (SENTIRE) Voi quante volte _____ la vostra famiglia?

16 ✎ Inventa una risposta con il verbo indicato, come nell'esempio.

1) Io telefono alla mia famiglia due volte al mese, e tu?

(CHIAMARE) Io _____

2) A che ora partite? (PARTIRE) Noi _____

3) I tuoi figli vogliono qualcosa da bere?

(PRENDERE) Loro _____

4) Quante lingue parlate? (PARLARE) Noi _____

5) Cosa cucina stasera? (CUCINARE) Lei _____

6) A che ora aprite? (APRIRE) Noi _____

I verbi irregolari

FARE	
IO	**FACCIO**
TU	**FAI**
LUI/LEI	**FA**
NOI	**FACCIAMO**
VOI	**FATE**
LORO	**FANNO**

17 ✏️ **Completa con il presente del verbo fare.**

1) Io _____ la badante da un anno.

2) Olga _____ i compiti per la lezione.

3) Noi _____ le pulizie in casa tutte le mattine.

4) I bambini _____ il bagno al mare.

5) Che lavoro (tu) _____ ?

6) Quando (voi) _____ una pausa?

18 ✏️ **Scrivi la frase corretta per ogni immagine.**

1) Katrine fa un giro con i suoi amici.
2) Il babbo fa la spesa.
3) Elena fa la doccia.
4) I bambini fanno i compiti.
5) Io faccio la fila.
6) Gabriel fa colazione.
7) Le ragazze fanno ginnastica.
8) Lei fa il letto.
9) Dario si fa la barba.

  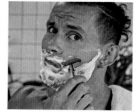  

_____ _____ _____ _____ _____

_____ _____ _____ _____

_____ _____ _____ _____

_____ _____ _____ _____

19 💬 **E tu che cosa fai la mattina? E il pomeriggio? E la sera? Parla con un tuo compagno.**

I verbi irregolari

	VENIRE
IO	**VENGO**
TU	**VIENI**
LUI/LEI	**VIENE**
NOI	**VENIAMO**
VOI	**VENITE**
LORO	**VENGONO**

20 Riordina le parole, metti il verbo alla forma giusta e forma le frasi come nell'esempio.

1) Io / Tirana / Albania /da / dall' / venire
Io vengo dall'Albania, da Tirana.

2) Oggi / casa / a / Daiki / mia / venire

_____

3) Noi / Italia / in / vacanza / in / venire

_____

4) Fare / con / la / spesa / tu / me / a / venire?

_____

5) Al / i / mare / tardi / piú / bambini / venire

_____

6) A / cena / voi / fuori / venire?

_____

Verbo Piacere

> *GLI quando la persona è maschile
> (A Luigi) **GLI** piace il gelato
> *LE quando la persona è femminile
> (A Maite) **LE** piace l'estate

MI
TI
*GLI
*LE
CI
VI
GLI

PIACE + NOME AL SINGOLARE
Esempio:
Mi piace la pasta.

PIACCIONO + NOME AL PLURALE
Esempio:
Mi piacciono gli spaghetti.

22 Scrivi delle frasi con il verbo piacere come nell'esempio.

Esempio: Marta / i musei / ☺
Le piacciono i musei.

1) Rina / la pizza / ☺

_____

2) Chiara e Gina / la lingua italiana / ☺

_____

3) Amarildo / cucinare / ☹

_____

4) Tu / le ferie / ☺

_____

5) Noi / le macchine sportive/ ☺

_____

6) Io / viaggiare / ☺

_____

21 Sottolinea la forma corretta, piace o piacciono?

1) Mi **piace/piacciono** le vacanze.

2) Gli **piace/piacciono** tutti gli sport.

3) Ci **piace/piacciono** la montagna.

4) Ti **piace/piacciono** l'Italia.

5) Gli **piace/piacciono** leggere.

6) Vi **piace/piacciono** il mare.

7) Le **piace/piacciono** i libri d'avventura.

8) Mi **piace/piacciono** le tagliatelle.

Gli articoli determinativi (singolare)

| MASCHILE | IL | Davanti a una consonante | Il signore
Il maestro |
| | L' | Davanti a una vocale | L'orologio
L'idraulico |
| | LO | Davanti a:
s+consonante
ps, pn, gn, x, y, z | Lo studente
Lo psicologo
Lo pneumatico
Lo gnomo
Lo xilofono
Lo zucchero |
| FEMMINILE | LA | Davanti a una consonante | La signora
La maestra |
| | L' | Davanti a una vocale | L'amica
L'infermiera |

23 Scrivi l'articolo maschile giusto: IL-LO-L'.

1) _____ medico
2) _____ sport
3) _____ albero
4) _____ zaino
5) _____ orologio
6) _____ infermiere
7) _____ astuccio
8) _____ computer
9) _____ cappotto
10) _____ stato
11) _____ aereo
12) _____ spazzino

24 Scrivi l'articolo femminile giusto: LA-L'.

1) _____ dottoressa
2) _____ amica
3) _____ auto
4) _____ maglia
5) _____ aria
6) _____ scuola
7) _____ ora
8) _____ farfalla
9) _____ uscita
10) _____ signora
11) _____ badante
12) _____ estate

25 Copia le parole nella colonna giusta e aggiungi l'articolo, come nell'esempio

| giorno | armadio | uva | Italia | anno | arancia | banca | zio | orecchino | zanzara |
| banco | onda | scatolone | entrata | scala | euro | ape | lavoro | stivale | spugna |

MASCHILE	FEMMINILE
il giorno	

Il suono SC

SUONO DOLCE /ʃ/	SC + I	SC + E

SC + I = SCI ⟶ SCIVOLO

SC + E = SCE ⟶ PESCE

SCIARPA - SCI
NASCERE - CRESCERE

SUONO DURO /sk/	SC + tutte le altre lettere

SC + A = SCA ⟶ SCALA

SC + O = SCO ⟶ SCONTRINO

SC + U = SCU ⟶ SCUOLA

ATTENTI!

SC + HI = SCHI ⟶ SCHIUMA

SC + HE = SCHE ⟶ SCHERMA

---

26 ✏ **Metti le parole nel posto giusto, come nell'esempio.**

maschio	scendere	scuro

scimmia	sciarpa	scelta

sciare	scusa	mascella	scatola	scopa	mosche

SUONO DOLCE /ʃ/	SUONO DURO /sk/
discesa	*schiuma*

---

27 🔊 ✏ **Ascolta e completa le parole con:**
SCI/SCE/SCA/SCO/SCU/SCHI/SCHE.

1) PI_____NA
2) _____VARE
3) _____CITO
4) PE_____
5) DI_____
6) _____PA
7) TA_____
8) TA_____NO
9) _____AME
10) PE_____VENDOLO

11) CA_____
12) BO_____
13) A_____NSORE
14) DI_____TERE
15) PE_____RIA
16) FI_____O
17) A_____LLA
18) A_____LTARE
19) MI_____ARE
20)_____RTARE

---

28 🔊 💬 **Ascolta e poi ripeti gli scioglilingua.**

Pesciolino scioccherello,
volle uscire dal ruscello.
Dentro il mare scivoló.
Pesce grande lo mangió.

La biscia che striscia
sull'erba liscia.

I mestieri e le professioni

29 ✏ **Inserisci il mestiere nell'immagine corrispondente.**

| L'infermiere/a | L'idraulico | L'elettricista | Il cuoco/La cuoca |

| Il commesso/La commessa | Il parrucchiere/La parrucchiera | L'autista |

| Il cassiere/La cassiera | Il dentista/La dentista | Il magazziniere/La magazziniera |

La collaboratrice domestica

Il meccanico

L'avvocato/L'avvocatessa

Il ragioniere/La ragioniera

Il giardiniere

30 💬 **Che lavoro ti piace? Che lavoro non ti piace? Parlane in classe.**

4

31 Che lavoro fanno? Ascolta i dialoghi e rispondi.

1) **Marcello è un**

   A) fruttivendolo   B) macellaio

2) **Sami è una**

   A) pizzaiola   B) pasticciera

3) **Medi è un**

   A) dottore   B) benzinaio

4) **Fiorela è una**

   A) cassiera   B) parrucchiera

32 Leggi l'indizio e scrivi il mestiere corretto.

1) Costruisco case,

   sono un M _ _ _ T _ _ _ _

2) Taglio e tingo i capelli

   sono un P _ _ _ _ C _ _ _ _ _ _ _

3) Vendo pollo e maiale,

   sono una M _ _ _ _ _ _ I _

4) Preparo pizze, sono un P _ _ _ _ _ _ _ _

5) Aggiusto tubature e caldaie,

   sono l'I _ _ _ U _ _ _ _

6) Se stai male io ti posso aiutare,

   sono la D _ _ _ _ _ _ _ _ _

33 Sottolinea i mestieri che trovi nel testo, poi inseriscili nell'immagine giusta.

Ieri dopo molti anni ho avuto una cena con alcuni vecchi compagni di classe. Maria ha due figli e fa l'estetista da 10 anni, Simone si è trasferito in Francia dove lavora come pizzaiolo nel ristorante di sua moglie. Carlo fa il benzinaio vicino al cantiere in cui Axel lavora come muratore. Alberto è riuscito a diventare macellaio come suo nonno e si è sposato con una ragazza marocchina che fa la spazzina vicino alla sua macelleria.

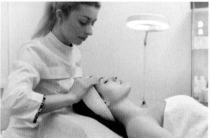

In questo puzzle sono nascosti 16 mestieri: quanti ne riesci a trovare?

RELAX

A	T	S	I	T	N	E	D	T	T	S	A	C	P
I	N	F	E	R	M	I	E	R	A	E	E	E	I
A	B	A	D	A	N	T	E	P	R	E	R	M	Z
T	E	E	I	V	I	A	O	O	R	E	E	A	Z
S	N	P	M	E	N	M	T	E	I	E	U	G	A
I	Z	A	O	N	P	A	I	H	R	E	O	A	I
T	I	R	S	I	R	N	C	E	O	C	U	Z	O
E	N	N	E	U	I	C	I	N	I	T	E	Z	L
T	A	R	M	D	U	N	I	N	I	A	V	I	O
S	I	P	R	R	O	Z	A	S	R	N	P	N	D
E	O	A	R	I	Z	C	T	C	P	P	R	I	O
E	I	A	G	A	C	A	I	C	O	S	G	E	L
G	P	A	P	E	R	C	T	V	N	U	N	R	O
A	R	S	M	E	R	E	I	S	S	A	C	E	R

RAGIONIERE   CASSIERE
GIARDINIERE   PARRUCCHIERE
PIZZAIOLO   MAGAZZINIERE
AUTISTA   BENZINAIO
BADANTE   INFERMIERA
MURATORE   CUOCA
ESTETISTA   SPAZZINO
DENTISTA   MECCANICO

MODI DI DIRE
DATTI UNA MOSSA
Si usa per dire a una persona di muoversi (sbrigarsi) a fare qualcosa

La via giusta: scegli il verbo corretto e prova ad arrivare alla fine!

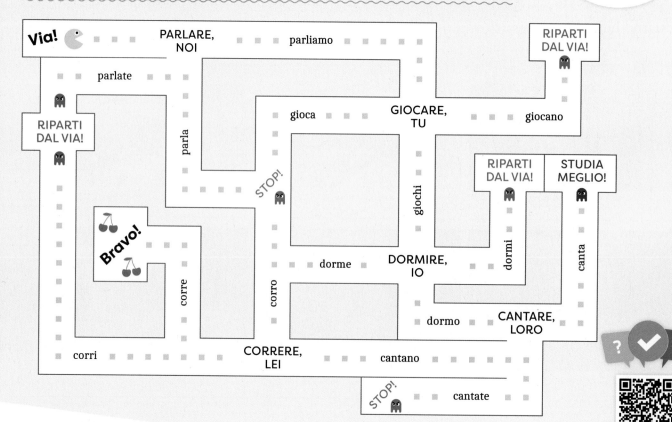

5

Casa dolce casa

"La mia casa"

Io vivo nel quartiere Montemario di Roma, al quarto piano con ascensore. L'edificio è molto vecchio. Quando si entra nell'appartamento c'è un piccolo corridoio. A destra c'è un soggiorno abbastanza grande che usiamo come sala da pranzo. Nel soggiorno c'è un mobile per la tele, una libreria, un tavolo nero, sei sedie e un piccolo balcone. A sinistra del corridoio, di fronte al soggiorno, c'è una cucina dove di solito io e la mia coinquilina facciamo colazione e pranzo. In cucina c'è il forno, il frigorifero, i fornelli, un tavolino bianco e due sedie. Alla fine del corridoio, in fondo, c'è un piccolo bagno con doccia. A destra, ci sono due stanze, la mia e quella di Karima, la mia coinquilina. Nella mia stanza c'è un letto e un armadio marrone. Di fronte alle nostre stanze, dall'altra parte del corridoio, c'è un bagno più grande con la vasca.

> Scrivi il nome di ogni stanza nel luogo giusto.

1

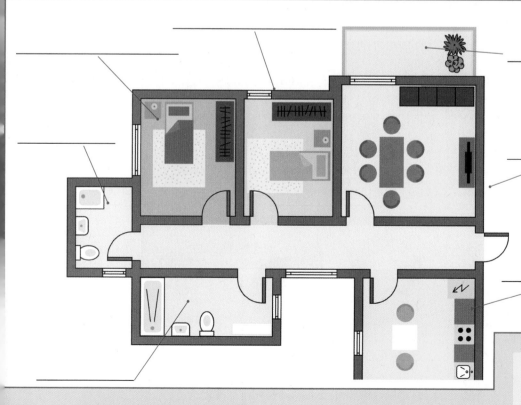

2 ✏️ Rispondi alle domande.

1) Dove vive Aisha? _____

2) Con chi vive? _____

3) Dov'è il soggiorno? _____

4) Che cosa c'è in soggiorno? _____

5) Dov'è il bagno piccolo? _____

6) Che cosa c'è in cucina? _____

7) Dove sono le camere? _____

3 ✏️ Metti gli oggetti nella stanza giusta.

| mobile | libreria | tavolo | sedie | forno | frigorifero |

| fornelli | tavolino | doccia | vasca | armadio | letto |

SOGGIORNO	CUCINA	BAGNO	CAMERA
_____	_____	_____	_____
_____	_____	_____	_____
_____	_____	_____	_____
_____	_____	_____	_____

4 ✏️ Dov'é l'osso? Inserisci le parole nel giusto posto.

| A SINISTRA | DIETRO | DAVANTI/DI FRONTE | TRA | LONTANO | VICINO |

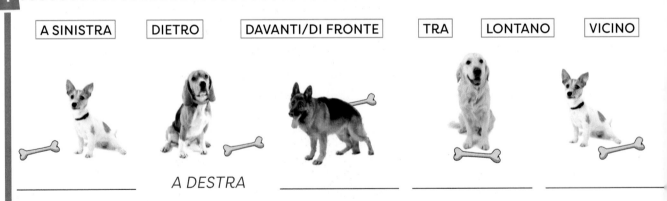

_____   *A DESTRA*   _____   _____

_____   *SOPRA*   *SOTTO*   _____

"Cerco casa"

Medi: Ciao Omar! Hai trovato casa?

Omar: No, devo cercare ancora perché non ho trovato niente.

Medi: Vuoi un appartamento in affitto o da comprare?

Omar: Per adesso non posso comprare casa, devo trovare qualcosa in affitto.

Medi: Vuoi un appartamento in centro o in periferia?

Omar: Lo voglio vicino al centro così mia moglie può spostarsi a piedi.

Medi: Hai ragione, puoi provare a sentire un'agenzia immobiliare.

Omar: Oggi devo andare in agenzia. Al telefono mi hanno detto che hanno un bilocale e un monolocale in un condominio vicino alla stazione.

Medi: Quanto costano?

Omar: 400€ al mese per il monolocale e 450€ il bilocale. Poi ci sono 50€ di spese condominiali.

Medi: Devi lasciare una caparra per confermare?

Omar: No, posso pagare direttamente il primo affitto alla firma del contratto.

Medi: Allora buona fortuna!

Omar: Grazie, ciao!

5 👁 ✏ Leggi il testo e rispondi.

1) **Che appartamento vuole Omar?**

A) in affitto   B) da comprare   C) in affitto o da comprare

2) **Dove vuole la nuova casa?**

A) in periferia   B) vicino al centro   C) vicino alla stazione

3) **Dove deve andare Omar oggi?**

A) in centro   B) in agenzia immobiliare   C) alla stazione

6 ✏ Trova nel testo le parole sottolineate e abbinale a ciascuna definizione.

1) Abitazione composta da una sola stanza → M _____ E

2) Documento da firmare per confermare l'affitto/vendita → C _____ O

3) Zona della città lontana dal centro → P _____ A

4) Abitazione composta da due stanze → B _____ E

5) Impresa che si occupa dell'affitto/vendita di case → A _____ A I _____ E

7 ✏️ 👁 Leggi i seguenti annunci immobiliari e rispondi alle domande.

Affitto

TRILOCALE IN VIA ROSSI, 700€/mese

Trilocale in condominio composto da: cucina con soggiorno, camera da letto matrimoniale, camera da letto singola e bagno, 79mq totali. Piano terra. Posto auto scoperto

🏠 3	↘️ 79m²	🛁 1	🪜 T
locali	superficie	bagno	piano

	Vero	Falso
A) La casa ha due camere da letto	☐	☐
B) L'appartamento è al primo piano	☐	☐
C) La casa è in vendita	☐	☐
D) Il soggiorno è separato dalla cucina	☐	☐
E) La casa è più grande di 70 metri quadrati	☐	☐
F) Non è compreso il parcheggio	☐	☐

Affitto

BILOCALE in via Cavour, 400€/mese

Bilocale al terzo piano con ascensore composto da: angolo cottura con soggiorno e camera da letto matrimoniale. Accesso libero al giardino condominiale.

🏠 2	↘️ 50m²	🛁 1	🪜 3
locali	superficie	bagno	piano

	Vero	Falso
A) L'appartamento si trova in via Rossi	☐	☐
B) Si trova in un condominio	☐	☐
C) La casa non ha un bagno	☐	☐
D) L'appartamento è al terzo piano	☐	☐
E) L'affitto è superiore a 500€/mese	☐	☐
F) La casa ha un giardino privato	☐	☐

🧠 RICORDA

Negli annunci il bagno non è considerato tra le stanze. Un bilocale è composto da due stanze (cucina/camera) + un bagno!

8 ✏️ Com'è la tua casa? Scrivi un testo rispondendo alle domande.

_____

_____

- É un appartamento in condominio o una casa singola? _____
- A che piano è? (Piano terra, primo piano...) _____
- È un bilocale oppure trilocale/quadrilocale? _____
- Quali stanze ha? _____
- Quanti metri quadrati sono? _____
- Ha un giardino? _____
- Ha un posto auto? _____
- Quanto costa l'affitto? _____

9 ✏️ 💬 Ora fai le domande a un compagno sulla sua casa e scrivi le risposte nel tuo quaderno, poi descrivila alla classe.

I verbi modali

5

Osserva, rifletti e completa.

10

	DOVERE	POTERE	VOLERE
IO	**DEV**-O	**POSS**-_____	**VOGLI**-_____
TU	**DEV**-I	**PUO**-I	**VUO**-_____
LUI/LEI	**DEV**-E	PUÒ	**VUOL**-E
NOI	**DOBB**-IAMO	**POSS**-IAMO	**VOGL**-_____
VOI	**DOV**-ETE	**POT**-_____	**VOL**-_____
LORO	**DEV**-ONO	**POSS**-ONO	**VOGLI**-_____

> I Verbi modali si coniugano in generale come i verbi in -ERE, cambia solo la base del verbo, la RADICE.

OSSERVA

I verbi modali sono quasi sempre seguiti da un verbo all'infinito (-ARE -ERE-IRE)
DOVERE: indica un **obbligo**   *Io DEVO fare la spesa.*
POTERE: indica una **possibilità**   *Io POSSO fare la spesa.*
VOLERE: indica una **volontà**   *Io VOGLIO fare la spesa.*
Il verbo VOLERE può anche essere seguito da un nome: *Io VOGLIO un gelato.*

OBBLIGO: completa le frasi con il verbo dovere.

11

1) Oggi io e Mariam _____ studiare. Voi cosa _____ fare?

2) I miei genitori _____ lavorare anche sabato, tu _____ lavorare?

3) Olga _____ andare in Moldavia perché sua madre sta male.

4) Io _____ ancora firmare i documenti da portare in Comune.

POSSIBILITÀ: completa le frasi con il verbo potere.

12

1) Tu domani _____ accompagnare mamma dal medico? Sì, _____ io.

2) Stasera noi _____ stare svegli fino alle 23.00.

3) I minorenni non _____ guidare l'auto. Voi _____ guidare a 16 anni?

4) Marwa _____ uscire tutte le sere con gli amici.

VOLONTÀ: completa le frasi con il verbo volere.

13

1) Io _____andare in spiaggia alle 15.00. Tu _____ venire?

2) Semir e Victor _____ andare a mangiare cinese stasera.

3) _____ guardare un film stasera voi? No, (noi) _____ uscire.

4) Mio cugino _____ organizzare un viaggio in Argentina.

14 ✎ **Sottolinea il verbo più adeguato: attento al significato della frase.**

1) Se **VUOI/PUOI** superare l'esame d'italiano **DEVI/VUOI** studiare.
2) Oggi non **POSSO/DEVO** uscire perché **POSSO/DEVO** aiutare mia madre.
3) I miei amici **DEVONO/VOGLIONO** organizzare una cena, voi **VOLETE/DOVETE** venire?
4) Sara **DEVE/PUÒ** accompagnare Marwa agli allenamenti? No, perché **PUÒ/DEVE** lavorare.
5) Qui voi non **VOLETE/POTETE** entrare, è riservato agli artisti.
6) In Italia se sei minorenne non **VUOI/PUOI** ordinare alcolici.
7) È tardissimo, **DEVO/VOGLIO** correre a casa!
8) Se **VUOI/DEVI** perdere peso **DEVI/VUOI** fare attività fisica.

> In alcune situazioni vanno bene più verbi.

15 ✎ **Osserva le immagini e completa i dialoghi con il verbo adeguato.**

A

Cameriere: (Voi) _____ anche un dolce o un caffè
Cliente1: Io _____ un tiramisù, grazie
Cliente2: Io sono a posto. (Tu) _____ portarci il cont
Cameriere: Sì, arrivo subito.

B

Prof.: Entro sabato prossimo (voi) _____ consegnare
    progetto di scienze.
Alunno: (Noi) _____ farlo anche a coppie
Prof.: No, _____ farlo obbligatoriamente da so
Alunni: (Noi) _____ usare il computer
Prof.: Sì, se (voi) _____ usare il computer va bene

C

Paziente: Da qualche giorno ho mal di schiena, cosa _____ fare
Medico: Per adesso _____ prendere questo antidolorifico
    mattina e sera, poi _____ andare a fare una lastra
Paziente: _____ continuare a fare sport
Medico: Sì, _____ continuare tranquillament

D

Commessa: _____ aiutarti
Cliente: Sì, _____ un paio di stiva
Commessa: (Tu) Li _____ con il tacco o bass
Cliente: Bassi, purtroppo non _____ indossare i tacc

Verbi irregolari: la forma in -ISC

	SPEDIRE
IO	SPED -ISCO
TU	SPED -ISCI
LUI/LEI	SPED -ISCE
NOI	SPED -IAMO
VOI	SPED -ITE
LORO	SPED -ISCONO

CAPIRE: io capisco, tu capisci...

COLPIRE: io colpisco, tu colpisci...

COSTRUIRE: io costruisco, tu costruisci...

DISTRIBUIRE: io distribuisco, tu distribuisci...

PULIRE: io pulisco, tu pulisci...

FINIRE: io finisco, tu finisci...

PREFERIRE: io preferisco, tu preferisci...

SPEDIRE: Io spedisco, tu spedisci...

TOSSIRE: io tossisco, tu tossisci...

TRASFERIRE: io trasferisco, tu trasferisci...

UNIRE: io unisco, tu unisci...

6 ✎ Completa le frasi.

1) Oggi pomeriggio (IO, FINIRE) _____ di pitturare le pareti del salotto.

2) Medi (PULIRE) _____ il cortile del condominio ogni sabato.

3) I miei parenti ci (SPEDIRE) _____ molti prodotti dalla Russia.

4) Vicino al supermercato (LORO, COSTRUIRE) _____ un cinema.

5) (TU, PREFERIRE) _____ tè o caffè?

6) Loro non (CAPIRE) _____ l'italiano, parlano francese.

7 ✎ Completa le frasi con il verbo giusto.

CAPITE   FINIAMO   TRASFERISCONO   PREFERIAMO

COSTRUISCE   PULISCONO   FINISCE   SPEDISCO

1) L'architetto Calatrava _____ un altro ponte a Venezia.

2) I miei figli non _____ mai la cucina dopo aver pranzato.

3) Ragazzi, quando (voi) non _____ la spiegazione potete alzare la mano.

4) Domani (io) _____ questi pacchi in Romania.

5) Oggi Mariana _____ di lavorare alle 20.00.

6) Domani sera io e Fiorela _____ restare a casa perché ci alziamo presto.

7) Il prossimo anno Victor e Adela si _____ in Brasile.

8) Se noi non _____ il compito domani, possiamo continuare venerdì.

Gli articoli determinativi

Articoli determinativi	Femminile	
SINGOLARE	Davanti a una consonante **LA** La macchina	Davanti a vocale (a, e, i , o ,u) **L'** L'amica
PLURALE	**LE** Le macchine	

Articoli determinativi	Maschile		
SINGOLARE	Davanti a una consonante **IL** Il cane	Davanti a: z, st, sc , sn, sd, sb, sf, sm, sp, sg, ps, pn, y, x, gn **LO** Lo zaino	Davanti a vocale (a, e, i, o, u) **L'** L'albero
PLURALE	**I** I cani	**GLI** Gli zaini/Gli alberi	

---

18 ✏️ Scrivi l'articolo femminile.

1) _____ borsa   6) _____ fotografie

2) _____ ambulanza   7) _____ uscita

3) _____ scatola   8) _____ persone

4) _____ ore   9) _____ aria

5) _____ partite   10) _____ infermiera

19 ✏️ Scrivi l'articolo maschile.

1) _____ zii   6) _____ bidoni

2) _____ muratori   7) _____ esercizi

3) _____ medico   8) _____ tramonto

4) _____ scalino   9) _____ compiti

5) _____ orologio   10) _____ spazio

20 ✏️ Inserisci l'articolo, poi trasforma al plurale.

1) _____ foglia → _____   4) _____ italiana → _____

2) _____ gnomo → _____   5) _____ sconto → _____

3) _____ amico → _____   6) _____ fratello → _____

Gli articoli indeterminativi

Articoli indeterminativi	Femminile		Maschile	
SINGOLARE	Davanti a una consonante **UNA** Una macchina	Davanti a vocale (a, e, i , o ,u) **UN'** Un'amica	Davanti a vocale (a, e, i , o ,u) **UN** Un albero	**UNO** Uno zaino

> Usiamo UNO come LO:
> davanti alle parole che iniziano con
> -z -x -y -gn -ps, -pn, -s + consonante

OSSERVA

 Il femminile **UN'** con apostrofo è usato davanti ai nomi femminili che iniziano per vocale → UN'AMICA – UN'ORA

 Il maschile **UN** senza apostrofo è usato davanti ai nomi maschili che iniziano per vocale e per consonante (eccetto –z, –x, –y, –gn, –s + consonante) → UN ANNO – UN RAGAZZO

21 Scegli UN/UN' come nell'esempio.

1) *Un'italiana*   5) _____ insetto   9) _____ ombrello   13)_____ orologio

2) *Un imbuto*   6) _____ attore   10)_____ unghia   14)_____ entrata

3) _____ isola   7) _____ elenco   11) _____ attrice   15)_____ idea

4) _____ amicizia   8) _____ incidente   12)_____ ape   16)_____ casa

22 Scrivi le parole nella riga corrispondente.

famiglia	meccanico	spazzino	automobile	specchio	gnomo	scala
documento	elicottero	tenda	amica	tappeto	spazzolino	cucina
giardino	yogurt	sedia	immagine	insegnante	arancia

UNA	UN'	UN	UNO

23 Inserisci l'articolo indeterminativo corretto.

1) _____ matita
2) _____ quaderno
3) _____ studente
4) _____ amica
5) _____ università
6) _____ gomma
7) _____ amico
8) _____ computer
9) _____ zaino
10) _____ psicologo
11) _____ autobus
12) _____ informazione
13) _____ lampada
14) _____ infermiere
15) _____ scalino
16) _____ oliva
17) _____ aula
18) _____ stipendio
19) _____ arabo
20) _____ italiana

24 Nella lista della spesa ci sono alcuni errori: trovali e correggili.

✓ Uno uovo
✓ Una pacco di farina
✓ Un'etto di pane
✓ Una bottiglia di latte
✓ Uno chilo di carne
✓ Un pacco di caffè
✓ Un yogurt greco
✓ Un arancia
✓ Un spugna
✓ Una confezione di biscotti

→

_____
_____
_____
_____
_____
_____
_____
_____
_____
_____
_____

25 Completa le frasi con UN/UNO/UNA/UN'.

A) Devo comprare _____ armadio e _____ aspirapolvere nuovi.

B) C'è _____ sbaglio in _____ esercizio a pagina trenta.

C) Cerchiamo _____ idraulico perché si è rotta _____ tubatura.

D) È arrivata _____ insegnante nuova, è _____ signora portoghese

E) Mia sorella ha comprato _____ auto usata da _____ amico dell'universi

26 Inserisci le parole nel gruppo esatto.

| foglio | pane | pizzeria | incubo | scudo | sposo | uscita |

| quercia | cuore | alba | uovo | italiana | spazzolino | zio | americano | cucina |

| moglie | giardino | armadio | agenzia | scienziato | orto |

IL/UN	LO/UNO	LA/UNA	L'/UN'	L'/UN
_____	_____	_____	_____	_____
_____	_____	_____	_____	_____
_____	_____	_____	_____	_____
_____	_____	_____	_____	_____
_____	_____	_____	_____	_____
_____	_____	_____	_____	_____
_____	_____	_____	_____	_____

" Il suono QU "

QU + VOCALE

QU + A = QUA → QUADRO

QU + E = QUE → QUERCIA

QU + I = QUI → AQUILA

QU + O = QUO → QUOTIDIANO

ATTENTI! —————————————

ACQUA

CU + CONSONANTE

CU + B = CUB → CUBO

CU + C = CUC → CUCINA

CU + F = CUF → CUFFIA

CU + G = CUG → CUGINA

CU + L = CUL → CULLA

CU + P = CUP → CUPIDO

CU + R = CUR → CURVA

CU + S = CUS → CUSCINO

ATTENTI! CU+vocale solo in: ——————

SCUOLA   CUORE   CUOCO   CUOIO

---

27 ✏️ **Completa con le parole QU-CU.**

A) S____OLA   I) OC____PATO

B) ____ARANTA   J) ____A

C) ____ADERNO   K) ____CCHIAIO

D) ____TE   L) ____ORE

E) ____RA   M) ____OCO

F) S____SA   N) S____ADRA

G) ____ANTI   O) ____I

H) ____ATTRO

28 🔊 **Ascolta le parole e scrivile nella colonna giusta.**

QU	CU
_____	_____
_____	_____
_____	_____
_____	_____
_____	_____
_____	_____
_____	_____

Inserisci le parole nell'immagine corrispondente.

29

I mobili e gli oggetti della casa

LA CAMERA DA LETTO

L'armadio | LA tenda | IL cuscino

LA cassettiera

_____

_____

LA lampada

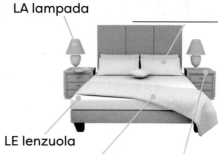

LE lenzuola

LA coperta | IL comodino

IL BAGNO

LA doccia

LA vasca da bagno

LO spazzolino

IL water | IL lavandino

IL sapone

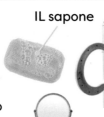

LA mensola

LA lavatrice

L'asciugamano

_____

LO specchio

_____

IL bidet

_____

LA CUCINA

IL forno | IL tavolo | LA sedia | IL frigorifero (IL frigo)

IL rubinetto

IL lavello

IL fornello

LA lavastoviglie

_____

_____

IL SOGGIORNO

IL divano | LA poltrona | IL quadro | IL televisore

IL tavolino

LA lampada

IL tappeto

_____

**Che stanza è? Che oggetti vedi? Osserva le immagini e scrivi quali
mobili e oggetti vedi, ricorda di usare l'articolo, come nell'esempio.**

Questa stanza è **LA CAMERA DA LETTO.**

Ci sono: **UN LETTO, DUE COMODINI, ...**

CONTINUA TU → _____

_____

_____

_____

_____

Questa stanza è _____

Ci sono: _____

_____

_____

_____

_____

_____

Questa stanza è _____

Ci sono: _____

_____

_____

_____

_____

_____

Questa stanza è _____

Ci sono: _____

_____

_____

_____

_____

_____

RELAX

Risolvi il cruciverba con le immagini e le definizioni.
Attento! Davanti a ciascuna parola devi inserire
sempre l'articolo determinativo corretto!

ORIZZONTALI

4 Sono le stanze in cui vai a dormire

6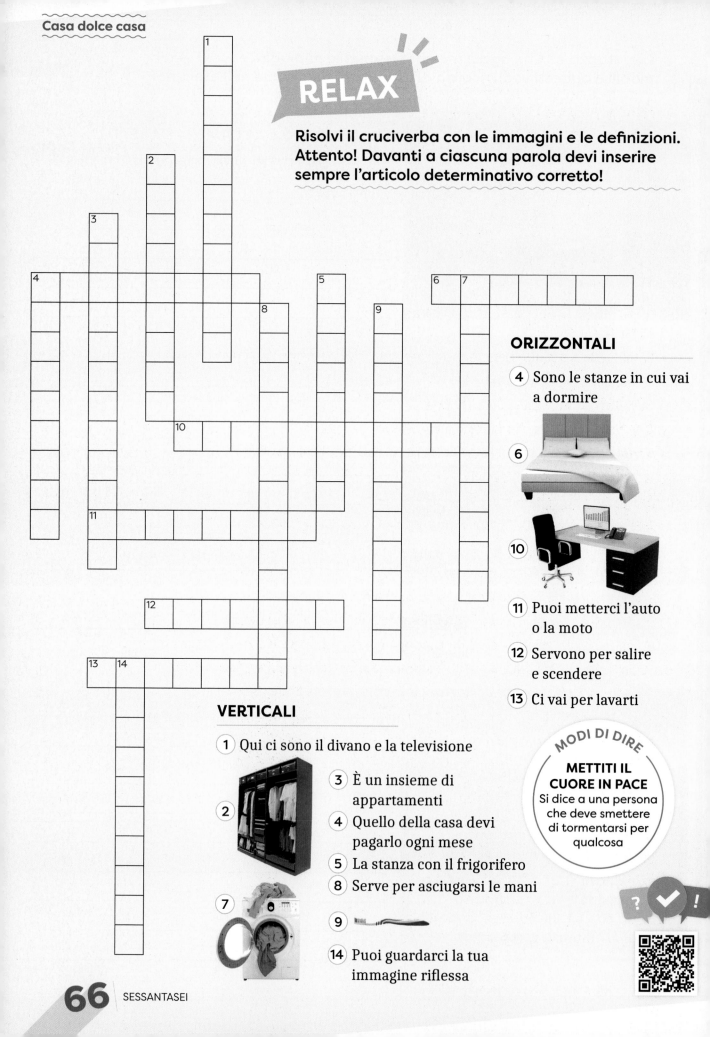

10

11 Puoi metterci l'auto o la moto

12 Servono per salire e scendere

13 Ci vai per lavarti

VERTICALI

1 Qui ci sono il divano e la televisione

3 È un insieme di appartamenti

2

4 Quello della casa devi pagarlo ogni mese

5 La stanza con il frigorifero

8 Serve per asciugarsi le mani

7

9

14 Puoi guardarci la tua immagine riflessa

MODI DI DIRE

METTITI IL CUORE IN PACE
Si dice a una persona che deve smettere di tormentarsi per qualcosa

6

In viaggio

"Dove vai il fine settimana?"

Abdul:	Ciao ragazzi come state?
Camila:	Io bene grazie.
Robert:	Sí anche io sto molto bene, sono pronto per il fine settimana!
Abdul:	Robert, vai da qualche parte?
Robert:	Sí vado a trovare mio cugino a Roma.
Camila:	Che bella Roma, la adoro!!! Come vai?
Robert:	Vado in treno. C'è un diretto che parte da Milano alle 16 e 30 e arriva a Roma alle 19 e 40.
Abdul:	Sai se è un Frecciarossa?
Robert:	Sí è un frecciarossa. C'è anche un treno con Italo piú economico, ma ci impiega un po' di più.
Camila:	Tuo cugino abita vicino alla stazione?
Robert:	No, quando arrivo devo prendere la metro B, sono 8 fermate.
Abdul:	Beato te che parti! Io rimango a Milano, devo lavorare. E tu Camila?
Camila:	Anche io questo fine settimana rimango qua, però il prossimo voglio andare a trovare una mia amica che vive a Como. Sapete se ci sono degli autobus?
Robert:	Non lo so, ma con il treno in un'ora e venti minuti sei arrivata.
Camila:	Quanto costa?
Robert:	Credo sui 5€.
Camila:	Allora mi conviene!
Abdul:	Ragazzi devo andare, buon fine settimana.
Camila:	Ciao, buon fine settimana a voi.
Robert:	A lunedí.

APPROFONDIMENTO

 Treni ad alta velocità di Trenitalia

 Treni di azienda privata

---

1 Segna con una X le frasi che sono contenute nel testo.

- [ ] **A)** Robert è pronto per il fine settimana.
- [ ] **B)** Robert va a trovare un'amica.
- [ ] **C)** Il treno Italo per Roma è piú caro.
- [ ] **D)** Il cugino di Camila abita lontano.
- [ ] **E)** Abdul rimane a Milano a lavorare.
- [ ] **F)** C'è un autobus che va a Como.
- [ ] **G)** Il treno per Como costa 5€.

2 Che cosa fanno Abdul, Camila e Robert il fine settimana? E tu cosa fai il fine settimana? Parla con i compagni.

3 ✎ Rispondi alle domande.

1) Dove deve andare Robert?

_____

_____

2) Quando e a che ora parte?

_____

_____

3) A che ora arriva?

_____

_____

4) Quanto costa?

_____

_____

5) Da che binario parte?

_____

_____

" Alla stazione del treno "

Robert è in stazione per comprare il biglietto per Roma.

Bigliettaio: Buonasera...

Robert: Buonasera, vorrei un biglietto per Roma.

Bigliettaio: Quando vuoi partire?

Robert: Domani nel pomeriggio.

Bigliettaio: Domani venerdì c'è un frecciarossa che parte alle 16 e 30 e arriva a Milano alle 19 e 40.

Robert: Ok va bene. Quanto costa?

Bigliettaio: 95€.

Robert: Fa cambi?

Bigliettaio: No è diretto.

Robert: Perfetto e da che binario parte?

Bigliettaio: Parte dal binario 18.

Robert: Grazie mille, arrivederci.

4 ✎ Guarda il biglietto e rispondi alle domande.

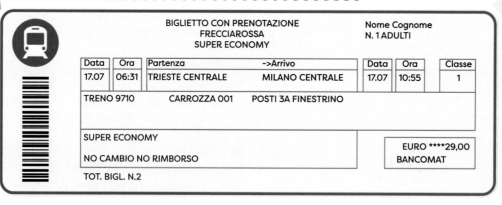

1) Da dove parte il treno? _____

2) Dove arriva? _____

3) Che giorno e a che ora parte il treno? _____

4) A che ora arriva? _____

5) Qual è il numero del treno? _____

6) Qual è la carrozza e il posto? _____

7) Quanto costa il biglietto? _____

5 🔊 **Quale mezzo prendono? A che ora? Ascolta i dialoghi e scegli le opzioni corrette.**

DIALOGO 1

Ⓐ 13:00   Ⓑ 13:30   Ⓒ 14:30

DIALOGO 2

Ⓐ 10:00   Ⓑ 10:15   Ⓒ 10:45

DIALOGO 3

Ⓐ 17:45   Ⓑ 18:15   Ⓒ 14:00

DIALOGO 4

Ⓐ 23:00   Ⓑ 11:00   Ⓒ 11:30

6 🔊 **Ascolta di nuovo i dialoghi e completa le frasi con le parole mancanti.**

DIALOGO 1

- _____ ancora due giorni a casa.

- Perché _____ all'una dal lavoro.

DIALOGO 2

- Vieni con me al supermercato

  o _____ a casa?

- Dopo _____ con Lucia.

- Allora le _____ di venire in auto.

DIALOGO 3

- _____ a Bari fino lunedì.

- Samuel _____ alle sei

  e un quarto dal lavoro.

DIALOGO 4

- Domattina ragazzi _____

  prima da scuola.

- _____ ad aspettare fino alle

  undici e mezza in stazione.

- No, noi _____ a mezzogiorno

  dal lavoro.

7 💬 **Osserva i verbi che hai inserito nell'esercizio precedente. Sono i verbi rimanere, dire e uscire. Li conosci? Prova a spiegare oralmente il loro significato.**

8 **Come si chiamano? Scrivi il nome sotto le immagini.**

IL _____   L' _____

LA _____   L' _____

L' _____

9 ✎ **Cosa stanno facendo? Scrivi l'azione sotto l'immagine corrispondente.**

sta mangiando	sta correndo	sta cantando	sta pulendo

sta ballando	sta dormendo	sta guidando	sta studiando

_____ _____ _____ _____

_____ _____ _____ _____

10 ✎ **Leggi la conversazione tra Maria e sua mamma, poi completa.**

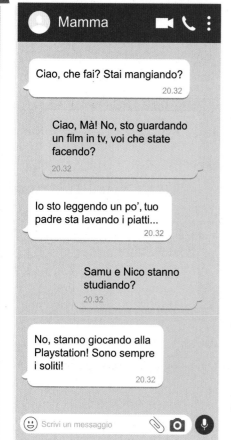

Mamma 📹 📞 ⋮

> Ciao, che fai? Stai mangiando?
> 20.32

> Ciao, Mà! No, sto guardando un film in tv, voi che state facendo?
> 20.32

> Io sto leggendo un po', tuo padre sta lavando i piatti...
> 20.32

> Samu e Nico stanno studiando?
> 20.32

> No, stanno giocando alla Playstation! Sono sempre i soliti!
> 20.32

😊 Scrivi un messaggio ✑ 📷 🎤

11 ✎ **Leggi di nuovo la chat e completa come nell'esempio.**

DI SOLITO		IN QUESTO MOMENTO
Tu mangi	→	Tu stai mangiando
Io guardo	→	Io _____
Voi fate	→	Voi _____
Io leggo	→	Io _____
Lui lava	→	Lui _____
Loro studiano	→	Loro _____
Loro giocano	→	Loro _____

A) Maria sta _____ un film,

invece sua madre sta _____ un libro.

B) Suo padre sta _____ i piatti.

C) I suoi fratelli non stanno _____ ,

loro _____ _____ alla playstation.

Verbi irregolari

LA FILASTROCCA DEL RITARDATARIO

Quando dà un appuntamento, tutti già lo sanno,
lui perde sempre il treno e arriva con affanno
Si sveglia e dice: "Rimango un po' a letto"
Poi ti chiama e ti chiede: "Usciamo alle otto?"
Tu sai che farà tardi e spazientito gli dici:
"Solo se arrivi puntuale resteremo amici!"

12 Leggi la "filastrocca del ritardatario" e completa.

	DARE	SAPERE	RIMANERE	USCIRE	DIRE
IO	**DO**	**SO**	_____	**ESCO**	**DICO**
TU	**DAI**	_____	**RIMANI**	**ESCI**	_____
LUI/LEI	_____	**SA**	**RIMANE**	**ESCE**	_____
NOI	**DIAMO**	**SAPPIAMO**	**RIMANIAMO**	_____	**DICIAMO**
VOI	**DATE**	**SAPETE**	**RIMANETE**	**USCITE**	**DITE**
LORO	**DANNO**	_____	**RIMANGONO**	**ESCONO**	**DICONO**

13 Completa le frasi con il verbo tra parentesi.

1) Oggi al supermercato (dare, loro) _____ una padella in omaggio.

2) Ancora mia sorella non (sapere) _____ se stasera (uscire) _____ noi.

3) Questa sera noi (rimanere) _____ a dormire dai nonni.

4) (Sapere, voi) _____ a che ora apre la biglietteria?

5) - Quando mi (dare, tu) _____ il libro che mi dicevi? - Non lo (sapere, io) _____.

14 Completa le frasi con il verbo tra parentesi.

| SAPETE | DAI | DICO | DO | RIMANE | SAPPIAMO | ESCONO |

1) Karim e Victor stasera _____ con due amici. _____ chi sono?

2) Noi non _____ ancora se potremo partecipare alla festa.

3) Mi _____ una mano a scaricare le buste della spesa?

4) In dispensa _____ un solo pacco di pasta. _____ a mamma di comprarla.

5) Se riesci a passare da me ti _____ il regalo che ti ho comprato in Francia.

"Stare + gerundio"

PRONOMI	STARE	GERUNDIO
IO	**STO**	MANGIARE
TU	**STAI**	MANGI**ANDO**
LUI/LEI	**STA**	LEGGERE
NOI	**STIAMO**	LEGG**ENDO**
VOI	**STATE**	SCRIVERE
LORO	**STANNO**	SCRIV**ENDO**

ATTENZIONE!
FARE → FACENDO
BERE → BEVENDO
DIRE → DICENDO

OSSERVA

STARE + GERUNDIO indica un'azione che si sta svolgendo in questo momento, **adesso**.

Esempio: Sto mangiando una pizza. (adesso in questo momento)

15 ✎ **Completa con STARE + gerundio.**

1) CENARE → Mi dispiace non posso venire, io _____ _____

2) FREQUENTARE → Noi _____ _____ un corso di italiano

3) VEDERE → Ti piace il film che _____ _____ ? No, è troppo triste

4) ANDARE → Karla _____ _____ a prendere il treno in stazion

5) SCRIVERE → Tuo padre _____ _____ il libro che diceva?

6) BERE → Mariela e Omar _____ _____ un caffè

7) ARRIVARE → Dove siete? (Noi) _____ _____ .

8) FARE → Cosa (tu) _____ _____ ?

9) DIRE → Hai capito quello che (io) ti _____ _____ ?

16 ✎ **Ogni frase contiene un errore: correggilo.**

1) Semir facendo i compiti di matematica.
_____

2) La nazionale stai giocando molto bene.
_____

3) Voi sta seguendo un corso di inglese?
_____

4) Il professore sta diredo di uscire.
_____

5) In questi giorni io studiando per un esame.
_____

" Gli aggettivi "

	SINGOLARE	PLURALE	
1° GRUPPO	Maschile O ⟶ I Femminile A ⟶ E		*Alcuni esempi...* bello, bella, belli, belle piccolo, piccola, piccoli, piccole brutto, brutta, brutti, brutte bravo, brava, bravi, brave nuovo, nuova, nuovi, nuove simpatico, simpatica, simpatici, simpatiche
2° GRUPPO	Masc- femm E ⟶ I		*Alcuni esempi...* intelligente, intelligenti facile, facili difficile, difficili grande, grandi giovane, giovani interessante, interessanti

17 🖉 Trasforma gli aggettivi da singolare a plurale.

1) *La macchina rossa* → *Le macchine rosse*

2) L'amica italiana → Le amiche _____

3) Il cugino simpatico → I cugini _____

4) Il compito facile → I compiti _____

5) La fidanzata giovane → Le fidanzate _____

6) Il caffè buono → I caffè _____

7) Il fratello maggiore → I fratelli _____

8) La casa piccola → Le case _____

9) La sorella inglese → Le sorelle _____

10) L'infermiera brava → Le infermiere _____

18 🖉 Sottolinea gli aggettivi corretti per completare il testo.

Oggi è stata una **BELLA/BELLE** giornata di sole. Ieri c'era **BRUTTO/BRUTTI** tempo ma per fortuna oggi non piove e posso andare a scuola con la mia bici **NUOVE/NUOVA**. Di solito vado a scuola in autobus ma ho conosciuto una ragazza che abita vicino a casa mia e andiamo insieme. Lei è molto **CARINE/CARINA** e **SIMPATICO/ SIMPATICA** e non vedo l'ora di passare un po' di tempo con lei!

19 🖉 Abbina a ciascun aggettivo il suo contrario.

CORTO | PICCOLO | FREDDO | BASSO | LENTO
BRUTTO | LARGO | CATTIVO | SPORCO

1) *GRANDE* → *PICCOLO*

2) LUNGO → _____

3) BUONO → _____

4) BELLO → _____

5) VELOCE → _____

6) CALDO → _____

7) STRETTO → _____

8) ALTO → _____

9) PULITO → _____

"Gli aggettivi dimostrativi"

SINGOLARE		PLURALE		
Questo	Questa	Questi	Queste	Si usa per indicare una cosa o una persona vicina *Es.: Lavoro in questa scuola.* (La scuola è vicina a chi parla)
Quest' davanti a una vocale	**Quest'** davanti a una vocale	Questi	Queste	
Quel davanti a una consonante (come art. IL)	Quella	Quei	Quelle	Si usa per indicare una cosa o una persona lontana *Es.: Lavoro in quella scuola.* (La scuola è lontana da chi parla)
Quello davanti a z, st, sc, sn, sd, sb, sf, sm, sp, sg, ps, pn, y, x, gn (come art. LO)		**Quegli** davanti a z, st, sc, sn, sd, sb, sf, sm, sp, sg, ps, pn, y, x, gn (come art. LO)		
Quell' davanti a una vocale	**Quell'** davanti a una vocale	**Quegli** davanti a una vocale	**Quelle** davanti a una vocale	

20 ✏ **Completa i fumetti con il dimostrativo giusto.**

_____ libri sono tuoi?

No, _____ sono di Eva.

_____ macchina è di mio padre.

Invece _____ macchina è mia.

21 ✏ **Completa con il dimostrativo corretto tra (questo/questa/quest'/questi/queste).**

1) Di chi è _____ penna? È mia.

2) _____ documenti sono scaduti.

3) _____ vacanze ce le siamo meritate!

4) _____ compito è molto facile.

5) Chi sono _____ ragazzi? Sono amici.

6) _____ storie fanno paura.

7) _____ anno voglio imparare l'italiano.

8) _____ mese voglio andare a trovare mia mamma.

22 ✏ **Completa con il dimostrativo corretto tra (quel/ quello/quell'/quella/quei/quegli/quelle).**

1) _____ libro è interessante.

2) _____ fiori sono bellissimi.

3) _____ scogli sono scivolosi.

4) _____ albero sta fiorendo.

5) _____ case sono in affitto.

6) _____ orologio è rotto.

7) _____ sport è molto difficile.

8) _____ isola è deserta.

Le parole con l'accento

In italiano quando la vocale finale di una parola ha un suono più forte significa che può avere l'accento.

ASCOLTA E OSSERVA:

PAPA   PAPÁ

PURE   PURÉ

23 ✏️ 🔊 **Ascolta le parole e metti l'accento dove serve.**

PERO	META	META	COMPRO	LIBERTA	FARO
COMO	CAFFE	PERO	BACCALA	PERCHE	FARO
PIU	CITTA	COSI	GIU	RAGU	SOFA

In italiano tutte le consonanti (tranne l'H) possono essere doppie. Il suono diventa più forte. A volte si usa per distinguere parole identiche ma con significato diverso

Le parole con le doppie

24 ✏️ 🔊 **Ascolta le parole e scrivi la doppia dove serve.**

ASCOLTA E OSSERVA:

POLO   POLLO

PALA   PALLA

NONO   NONNO

NOT _ E	TAP _ ETO	FRUT _ A
BUC _ IA	CAS _ A	BAR _ ISTA
CAP _ ELLI	CAR _ O	ROS _ A
SET _ E	CAP _ ELLI	SET _ E
NOT _ E	CAS _ A	OMBREL _ O
STEL _ A	PIZ _ A	GAT _ O

25 🔊 💬 **Ascolta e poi leggi la filastrocca.**

" Filastrocca delle doppie ,,

La pala è per spalare
e la palla è per giocare.
Il Papa è per pregare
e la pappa è per mangiare.
Con la penna si scrive
chi è in pena non ride.
I pani dal fornaio
e i panni dal merciaio.
La sera è dopo il mattino
e la serra è nel giardino.

La rosa ha più di un colore,
a volte è rossa ed ha sempre odore.
Alle sette mi levo
e se ho sete bevo.
Sette note per cantare
e la notte per sognare.
Nono vien dopo l'ottavo
e mio nonno si chiama Gustavo.

www.favolefantasia.com

I mezzi di trasporto

26 Ascolta come si chiamano i mezzi di trasporto e completa con quelli che mancano.

_____   *TRAM*   _____   *BICICLETTA*

_____   *AUTOBUS*   *PULLMAN*   _____

_____   *GOMMONE*   *CAMPER*   _____

27 Che mezzi di trasporto usi? Quante volte? Per andare dove? Parla con un compagno e scrivi con che frequenza usate i mezzi. Usa le parole SEMPRE, SPESSO, QUALCHE VOLTA, MAI come nell'esempio.

Esempio: Uso l'autobus tutti i giorni per andare a lavorare.

Le parole del viaggio

28 Scrivi le parole del viaggio sotto l'immagine corretta.

| aeroporto | fermata | biglietto |

| stazione | carrozza | imbarco | sala d'attesa | biglietteria | binario | valigia |

RELAX

Ascolta o leggi la canzone e scrivi i gerundi mancanti. Aiutati con i disegni.

"In biciletta"
Riccardo Cocciante

_____

n bicicletta accanto a te

'edalare senza fretta la domenica mattina

'ra i capelli una goccia di brina

Ma che faccia rossa da bambina

'ai un fumetto _____

Mentre mi sto _____

Lungo i viali silenziosi insieme a te

Con quegli occhi allegri e accesi

D'entusiasmo ragazzino

Che ne dici, ci mangiamo un panino?

C'è un baretto proprio qui vicino

Mentre il naso ti stai _____

o mi sto sempre più _____

Ed il pensiero va oltre quel giardino

Vedo una casa e poi

Vedo un bimbo e noi

_____

in bicicletta accanto a te

Pedalare senza fretta sentendoti vicina

Da che parte adesso siamo, indovina

Il futuro è nato stamattina

Prima freno e poi discendo

Scusami se ti sto _____

Scusami se ti sto _____

Ed il pensiero va oltre quel giardino

Vedo una casa e poi

Vedo un bimbo e noi

_____

in bicicletta accanto a te

Pedalare senza fretta la domenica mattina

Fra i capelli una goccia di brina

Ma che faccia rossa da bambina

Fai un fumetto _____

Mentre mi sto _____ (x 4) ...

Io, io mi sto sempre più innamorando

Io mi sto sempre più innamorando

Rispondi alle domande.

1) Che cosa sta facendo il personaggio della canzone?

_____

2) Con chi è?

_____

3) Che cosa si sta immaginando?

_____

4) Che emozioni sta provando?

_____

MODI DI DIRE

NON CI PIOVE
Si dice quando
si è certi
di qualcosa

7

La mia giornata

Ciao **mi chiamo** Kusal e vengo dallo Sri Lanka. Sono in Italia da 10 anni. Sono sposato con Maria e abbiamo due figli: Sarah e Amaya. Tutti i giorni **mi sveglio** molto presto, alle 6. **Mi alzo**, **mi lavo**, **mi vesto** e preparo la colazione. Alle 7 sveglio le bambine e facciamo colazione tutti insieme. Alle 8 porto le bambine a scuola, accompagno mia moglie al lavoro e poi vado a lavorare anche io. Lavoro come domestico nella casa di una signora molto anziana. Lavoro dalle 9 alle 17. Dopo il lavoro, prima di tornare a casa vado al supermercato, poi mi fermo nel negozio di mio cugino a salutarlo e **mi riposo** un po'; infine alle 19 torno a casa. Ceniamo verso le 19.30; dopo cena o guardo un po' la tele, o leggo le notizie nel cellulare. Prima di andare a dormire **mi metto** il pigiama, **mi faccio** una doccia e infine **mi addormento** alle 22.

---

1 Completa con gli orari di Kusal.

h. 6:00	
h. 7.00	
h. 8.00	
h. 9:00	
h. 17:00	
h. 18:00	
h.19:00	
h. 19:30	
h. 21:30	
h. 22:00	

2 Ora completa l'agenda con i tuoi orari e le tue attivitá.

h. _____	MI SVEGLIO
h. _____	MI LAVO
h. _____	
h. _____	
h. _____	
h. _____	
h. _____	
h. _____	
h. _____	
h. _____	

---

3 Copia i verbi in grassetto nel testo e scrivi la forma all'infinito come nell'esempio.

1) *Mi chiamo* → *chiamarsi*   4) _____ → _____   7) _____ → _____

2) Mi sveglio → svegliar___   5) _____ → _____   8) _____ → _____

3) _____ → _____   6) _____ → _____   9) _____ → _____

4 Cosa fa? Collega ogni immagine all'azione corrispondente.

Si fa la doccia

Si veste

Si addormenta

Si sveglia

Si riposa

Si fa la barba

Si pettina

5 Completa il testo utilizzando le azioni dell'esercizio precedente.

LA GIORNATA DI MOHAMED

Mohamed _____ ogni mattina alle 7.00 e per prima cosa **fa colazione**.

Non _____ perché è rasato ma una volta a settimana _____

per avere il viso sempre ordinato. _____ molto velocemente perché deve

indossare la divisa per lavorare in fabbrica. Alle 8.00 prende l'autobus per andare al lavoro. In pausa

pranzo mangia a mensa e _____ per circa mezz'ora. Esce dal lavoro alle 17.00

e una volta a settimana **va a fare la spesa**. Altre volte, prima di tornare a casa **va a correre** al parco

per fare un po' di sport. Appena arriva a casa _____ e si mette i vestiti

puliti. Finalmente prima di cena **si rilassa**: **ascolta la musica**, **guarda la televisione** o **legge un**

libro. Più tardi cena, **lava i piatti** e alle 22.00 di solito _____ sul divano.

6 Scrivi sotto le immagini l'azione corrispondente tra quelle in grassetto nel testo.

_____ _____ _____ _____ _____

_____ _____ _____ _____ _____

7 Racconta ad un compagno cosa fai durante il giorno utilizzando le azioni degli esercizi precedenti.

RICORDA:
devi parlare in prima persona
Esempio:
Io MI ALZO alle.... MANGIO....

" Al supermercato "

Olga è al bancone della gastronomia

Commesso: 45...

Olga: Io!

Commesso: Buongiorno mi dica*

Olga: Volevo un etto di prosciutto crudo.

Commesso: Quale vuole*?

Olga: Quello in offerta.

Commesso: Ok. Poi?

Olga: Volevo due etti di ricotta.

Commesso: Va bene questa a 10€ al chilo?

Olga: Sí va benissimo. È di capra?

Commesso: No, è di mucca.

Olga: Ok va bene lo stesso.

Commesso: Altro?

Olga: No grazie.

Alla cassa

Cassiera: Buongiorno

Olga: Salve

Cassiera: Ha* la <u>tessera socio</u>?

Olga: Sí, eccola. Mi puoi dare una busta?

Cassiera: Sí. Paga* in contanti o carta?

Olga: Carta

Cassiera: Sono 13 euro e 20 centesimi.

Olga: Ecco il bancomat

Cassiera: Inserisca* il codice...
Perfetto grazie. Arrivederci

Olga: Arrivederci.

O SSERVA

*Quando una persona non ti conosce per rispetto si può usare il Formale Lei... Osserva la differenza:

FORMALE	INFORMALE
Mi dica...	Dimmi
Quale vuole?	Quale vuoi?
Ha la tessera?	Hai la tessera?
Paga in contanti?	Paghi in contanti?
Inserisca il codice	Inserisci il codice

La <u>tessera socio</u> è la tessera del supermercato che ti fa avere alcune offerte sui prodotti

TESSERA SOCIO

Filippo Borselli

8 ✎ Rispondi alle domande.

1) Cosa compra Olga?

_____

2) Quale prosciutto prende?

_____

3) Quanto costa la ricotta?

_____

4) Come paga Olga?

_____

5) Quanto spende?

_____

9 ✎ Scrivi la domanda per ogni risposta

1) _____

No, mi dispiace, non ce l'ho.

2) _____

Quello in offerta.

3) _____

Sí, due etti di formaggio.

4) _____

A me.

5) _____

Sono dieci euro e 40 centesimi.

Ascolta e inserisci la parola relativa a ciascun elemento..

| PACCO/CONFEZIONE | LATTINA | BARATTOLO | SCATOLETTA | BOTTIGLIA |

_____ _____ _____

_____ _____

Scrivi i seguenti alimenti accanto all'unità di misura corretta. Possono essere associati a più di un'unità di misura.

| latte | patate | pane | carne | prosciutto | olio |

| cipolle | vino | riso | pasta | mele | birra |

1l = UN LITRO di → _____

1kg = UN CHILO di → _____

100gr = CENTO GRAMMI o UN ETTO di → _____

½ l = MEZZO LITRO di → _____

½ kg = MEZZO CHILO di → _____

300gr = TRECENTO GRAMMI o TRE ETTI di → _____

33cl = TRENTATRE CENTILITRI di → _____

Crea una lista della spesa con almeno 5 prodotti e dettala al tuo compagno. Poi controlla se ha capito.

_____

_____

_____

_____

_____

_____

_____

" I verbi riflessivi "

I verbi riflessivi sono uguali agli altri verbi. Si aggiunge un pronome riflessivo davanti perché indica che il soggetto fa un'azione su se stesso.

Es.: *Io MI sveglio. (Io sveglio me stesso)*
Io sveglio Maria.
Tu TI lavi. (Tu lavi te stesso)
Tu lavi un piatto.

SVEGLIARSI	
IO	**MI** SVEGLIO
TU	**TI** SVEGLI
LUI/LEI	**SI** SVEGLIA
NOI	**CI** SVEGLIAMO
VOI	**VI** SVEGLIATE
LORO	**SI** SVEGLIANO

13 ✎ **Completa tu.**

METTERSI	VESTIRSI
MI METT-O	**MI** _____
TI _____	_____ VEST-I
SI METT-____	**SI** VEST-E
CI METT-IAMO	**CI** VEST-_____
VI _____-ETE	**VI** VEST-ITE
SI METT-ONO	**SI** VEST-_____

14 ✎ **Inserisci il pronome riflessivo.**

A) Noi _____ svegliamo sempre alle 7.00.

B) Loro _____ vestono eleganti.

C) Mia mamma _____ chiama Sarah.

D) Voi _____ mettete la giacca?

E) Io _____ alzo alle 11.00 la domenica.

F) Noi _____ mettiamo la crema solare.

15 ✎ **Completa le frasi con il verbo riflessivo.**

1) RIPOSARSI → I miei nonni _____ sempre dopo pranzo.

2) GRATTARSI → Il mio cane _____ spesso, devo lavarlo.

3) TRUCCARSI → Voi _____ per andare a scuola?

4) CHIAMARSI → Noi _____ Mariam e Samuel.

5) ADDORMENTARSI → Io non _____ prima delle 23.00.

6) TELEFONARSI → Io e mia madre _____ tutte le sere.

7) TAGLIARSI → Fallou _____ i capelli ogni due settimane.

16 ✎ **Trova l'errore in ogni frase e correggilo.**

A) Le mie sorelle ci addormentiamo appena si siedono sul divano.

_____

B) Medi è molto studioso e si impegno molto a scuola.

_____

C) Voi non ti pettinate mai!

_____

Gli alimenti

17 🔊 ✏️ Ascolta e scrivi gli alimenti nell'immagine giusta.

ALIMENTI VARI | pasta | pane | olio | latte | vino | riso

_____   _____   _____   *carne*   *pesce*

burro   _____   *formaggio*   *uovo*   *zucchero*

_____   *aceto*   _____   *sale*   *pepe*

FRUTTA | banana | limone | arancia | pesca | fragola | mela | pompelmo

_____   *ciliegia*   _____   *albicocca*   _____   *pera*   *ananas*

_____   *cocomero*   *pompelmo*   _____   _____   *mandarino*

VERDURA | zucchina | melanzana | cetriolo | patata | carota | pomodoro

_____   *lattuga*   _____   *prezzemolo*

_____   *cipolla*   *aglio*   _____

_____   *peperone*   *fungo*   _____

18 ✎ Riordina le lettere e trova le parole nascoste.

FRUTTA

1) Bilaccaco → A _____
2) Niacara → A _____
3) Nidamarno → M _____
4) Oremocco → C _____
5) Alme → M _____
6) Igecilia → C _____

VERDURA

1) Zanucchi → Z _____
2) Toraca → C _____
3) Gialo → A _____
4) Eroppene → P _____
5) Zelannama → M _____
6) Pollica → C _____

19 ✎ Cos'ha comprato? Osserva le immagini e scrivi gli alimenti che riconosci.

_____
_____
_____
_____
_____
_____
_____
_____
_____
_____
_____
_____
_____
_____

Lista della spesa

_____
_____
_____
_____
_____
_____

Ascolta l'audio e scrivi la lista della spesa.

20 🔊

Trova nei puzzle di lettere gli alimenti, nel primo sono 15 e nel secondo 12. Le lettere che rimarranno fuori ti diranno il nome di due piatti tipici italiani.

M	E	L	A	N	Z	A	N	A	L
A	N	I	R	F	U	N	G	O	S
U	A	M	I	A	C	E	T	O	O
O	P	O	S	A	C	M	P	G	I
V	I	N	O	N	H	S	E	O	L
O	E	E	U	A	I	A	S	L	G
L	R	A	G	V	N	L	C	I	A
B	A	N	A	N	A	E	A	O	Ù

F	O	R	M	A	G	G	I	O	P
R	A	N	A	N	A	S	E	P	O
A	L	B	I	C	O	C	C	A	M
G	P	L	A	S	S	A	A	T	O
O	S	A	A	E	R	T	R	A	D
L	E	T	P	O	L	L	N	T	O
A	I	T	T	P	E	P	E	A	R
P	R	E	Z	Z	E	M	O	L	O

MODI DI DIRE

SEI ROSSA COME UN PEPERONE
Si dice quando una persona diventa rossa in viso per imbarazzo o per troppo sole

Fare compere

" Il fine settimana

Mariam: Ciao Medi, cos'hai fatto questo fine settimana?

Medi: Sono andato a trovare mio fratello perché mia cognata ha partorito da poco.

Mariam: Che bello! Gli hai portato un regalo?

Medi: Sì, gli ho comprato un giocattolo.

Mariam: È venuta anche tua moglie?

Medi: No, lei ha lavorato tutto il weekend, però sono venute le mie figlie.

Mariam: Non le vedo da molto tempo! Hanno finito le medie?

Medi: Marwa ha iniziato quest'anno le superiori, Sarah è in seconda media.
Tuo figlio ha iniziato a lavorare?

Mariam: Sì, è andato a Bologna perché ha trovato lavoro nella fabbrica di un suo amico.

Medi: Siete andati mai a trovarlo?

Mariam: Abbiamo dormito da lui una notte prima delle vacanze
estive perché abbiamo preso l'aereo a Bologna.

Medi: Siete andati dai vostri parenti?

Mariam: Sì, abbiamo passato due settimane da mia madre in Marocco.

---

1 ✎ **Rispondi vero o falso.**

	Vero	Falso
A) Medi è rimasto a casa sabato e domenica	☐	☐
B) La cognata di Mariam ha partorito	☐	☐
C) Medi è andato a trovare suo fratello	☐	☐
D) Medi ha fatto un regalo a suo nipote	☐	☐
E) La moglie di Medi non ha lavorato domenica	☐	☐
F) Marwa e Sarah hanno finito le medie	☐	☐
G) Il figlio di Mariam ha trovato lavoro a Bologna	☐	☐
H) Mariam ha passato le vacanze a Bologna	☐	☐
I) Per le vacanze è andata dai parenti	☐	☐

2 ✎ **Rispondi sul quaderno alle seguenti domande.**

1) Perché Medi è andato a trovare suo fratello?

2) Cos'ha fatto la moglie di Medi nel fine settimana?

3) Dov'è andato il figlio di Mariam? Perché?

4) Dov'è andata Mariam durante le vacanze estive?

3 Cos'hanno fatto nel fine settimana? Osserva le immagini e scrivi l'azione corrispondente.

| hanno mangiato la pizza | sono andati al cinema | ha giocato a calcio | ha cucinato |

| hanno fatto la spesa | sono andati al parco | ha preso il treno | hanno studiato |

_____ _____ _____ _____

_____ _____ _____ _____

4 Tu cos'hai fatto lo scorso fine settimana? Scegli e sottolinea una risposta in base a quello che hai fatto.

1) Mi sono svegliato presto / Mi sono svegliato tardi

2) Ho mangiato a casa / Ho mangiato fuori

3) Ho fatto le pulizie di casa / Non ho fatto le pulizie

4) Ho fatto sport / Non ho fatto sport

5) Ho lavorato / Mi sono rilassato

6) Ho cucinato / Non ho cucinato

7) Ho studiato / Ho letto un libro

8) Ho fatto una passeggiata / Non sono uscito

9) Ho guardato la tv / Ho ascoltato la musica

5 Chiedi ad un compagno cos'ha fatto e racconta del tuo fine settimana in base alle risposte dell'esercizio precedente.

Cos'hai fatto nel fine settimana? Dove hai mangiato? Hai lavorato? ...

Mi sono svegliato presto...

6 Abbina a ciascuna domanda la risposta adeguata.

1) Tua sorella ha finito l'università? _____

2) I vostri genitori sono andati in ferie? _____

3) I tuoi zii hanno lavorato nel nord Italia? _____

4) L'amica di Omar ha studiato l'inglese? _____

5) I loro nonni sono nati in Albania? _____

6) Le vostre cugine hanno imparato l'italiano? _____

A) Sì, sono andati una settimana dai nostri parenti.

B) No, sua nonna è rumena e suo nonno è moldavo.

C) Sì, hanno imparato l'italiano e l'inglese.

D) No, i miei zii hanno lavorato sempre a Napoli.

E) Sì, mia sorella ha iniziato a lavorare.

F) No, la sua amica ha studiato solo l'italiano.

"Al mercato"

Svetlana: Buongiorno, ha una taglia più piccola di questa maglia?

Commesso: Che taglia cerca?

Svetlana: Una XS.

Commesso: Vediamo...Ce l'ho di un altro colore.

Svetlana: Che colore?

Commesso: Ce l'ho verde e azzurra. Sono in saldo* vengono 5€.

Svetlana: Ok, va bene verde. Invece ha pantaloni larghi?

Commesso: Lunghi o corti?

Svetlana: Lunghi.

Commesso: Ho questo paio che sono molto morbidi e rimangono lunghi.

Svetlana: Li posso provare?

Commesso: Sí certo, il camerino è dietro quella tenda... Come vanno? Le piacciono?

Svetlana: Sí i pantaloni sono perfetti, invece la maglia è troppo stretta.

Commesso: Purtroppo non ho una taglia più grande. Se vuole la S ce l'ho* a maniche lunghe.

Svetlana: Verde?

Commesso: Sí

Svetlana: Ok la provo.

Commesso: Allora, va bene?

Svetlana: Sí mi piace. Quanto costano i pantaloni?

Commesso: I pantaloni 10€.

Svetlana: Ok quanto le devo* in tutto?

Commesso: 15€.

Svetlana: Ok grazie mille. Alla prossima.

Commesso: Arrivederci e buona giornata.

O SSERVA

in saldo = scontata
ce l'ho = ho questa cosa
quanto le devo? = quanti soldi
le devo dare
(a Lei = formale)

LE TAGLIE

XS = Extra small
Molto piccola
S = Small
Piccola
M = Medium
Media
L = Large
Grande
XL = Extra large
Comoda
XXL = Extra extra large
Molto grande

IL NUMERO DI SCARPE

...35 36 37 38 39 40 41 42 43 44...

7 Leggi le affermazioni e rispondi V/F. Spiega nel tuo quaderno perché sono false.

	Vero	Falso
A) I pantaloni sono in saldo.		
B) La taglia XS della maglia verde non c'è.		
C) I pantaloni ci sono solo corti.		
D) Il camerino non c'è.		
E) Svetlana compra una maglia a manica corta.		
F) Svetlana prova una taglia S.		
G) Svetlana spende in tutto 15€		

Parla con un compagno: che taglia porti di maglia? E di pantaloni? Che numero di scarpe hai?

8

9 ✏ Abbina le frasi per creare dei mini dialoghi.

A) Vorrei delle scarpe da ginnastica.

B) Quanto le devo in tutto?

C) Un maglione? Che taglia le serve?

D) Vorrei dei pantaloni.

E) Sono in saldo quelle scarpe?

F) La M è piccola, mi serve una taglia in più.

G) Che colore vuole la maglia?

H) Quanto costano quelle borse?

1) In totale sono 72€.

2) Una M per favore.

3) Quella rossa viene 20€, quella nera 33€.

4) Che numero porta?

5) Lunghi o corti?

6) Sì, sono scontate del 20%.

7) Allora le prendo una L.

8) Gialla, grazie.

10 ✏ Leggi i dialoghi e scrivi le caratteristiche di ciascun elemento. Attento: non sono in ordine.

DIALOGO 1

Cliente: Buongiorno, sto cercando dei pantaloni e una camicia.

Commessa: Come li vuole?

Cliente: I pantaloni lunghi di colore blu scuro e la camicia azzurra.

Commessa: Che taglia porta?

Cliente: Sopra una M e sotto una L.

Commessa: Ecco a lei. Sono scontati e vengono 23€ la camicia e 30€ i pantaloni.

Cliente: Ottimo, mi serve anche una canottiera bianca da mettere sotto, sempre taglia M.

Commessa: Questa può andare? Viene 7€.

Cliente: Perfetto!

DIALOGO 2

Cliente: Sto cercando un vestito elegante, porto una L.

Commessa: Che ne dice di questo abito viola e giallo?

Cliente: Bellissimo. Quanto costa?

Commessa: Viene 42€.

Cliente: Ottimo, vorrei anche un paio di scarpe nere con il tacco e una giacca.

Commessa: Questa giacca è una L e dovrebbe andarle bene.

Cliente: La taglia va bene, però preferisco quella grigia.

Commessa: Perfetto; invece che numero porta?

Cliente: 39.

Commessa: Vanno bene?

Cliente: Perfetto, prendo tutto. Quant'è?

Commessa: 105€ in totale. 42€ l'abito, 38€ la giacca e 25€ le scarpe.

PANTALONI
Colore: _____
Taglia: _____
Prezzo: _____

VESTITO
Colore: _____
Taglia: _____
Prezzo: _____

GIACCA
Colore: _____
Taglia: _____
Prezzo: _____

SCARPE
Colore: _____
Taglia: _____
Prezzo: _____

CANOTTIERA
Colore: _____
Taglia: _____
Prezzo: _____

CAMICIA
Colore: _____
Taglia: _____
Prezzo: _____

Il passato prossimo

Il passato prossimo è sempre formato da DUE verbi:
ESSERE o AVERE + PARTICIPIO PROSSIMO del verbo

IO HO ⟶ mangiATO

IO SONO ⟶ tornATO

Il participio passato regolare

-ARE
PARLARE ↓ **-ATO**

-ERE
VENDERE ↓ **-UTO**

-IRE
SENTIRE ↓ **-ITO**

Il passato con avere

IO	HO
TU	HAI
LUI/LEI	HA
NOI	ABBIAMO
VOI	AVETE
LORO	HANNO

PARLARE → PARL**ATO**
VENDERE → VEND**UTO**
SENTIRE → SENT**ITO**

Il passato con essere

IO	SONO
TU	SEI
LUI/LEI	È
NOI	SIAMO
VOI	SIETE
LORO	SONO

ANDARE → AND**ATO**
CADERE → CAD**UTO**
PARTIRE → PART**ITO**

Con ESSERE il participio passato cambia l'ultima lettera:
Esempi:
Carlo è andato.
Marina è andata.
I bambini sono andati.
Le bambine sono andate.

Essere o Avere?

LA CASA DEL VERBO **ESSERE**

verbi riflessivi

crescere

essere
sembrare
piacere
diventare

correre

mori

nascere

cadere

stare   rimanere restare

succedere

salire   scendere

← uscire / partire / andare

entrare / venire / tornare / arrivare

11 ✎ Scegli il verbo corretto per completare la frase.

1) **Stamattina noi ci _____ alle 8.00.**
   A) abbiamo svegliato
   B) siamo svegliati
   C) siamo svegliato

2) **Voi _____ oggi pomeriggio?**
   A) avete lavorato
   B) avete lavato
   C) siete lavorati

3) **Mohamed _____ italiano oggi.**
   A) è studiato
   B) ha studiato
   C) ho studiato

4) **Loro _____ in Romania a luglio.**
   A) è andati
   B) sono andato
   C) sono andati

5) **Tu _____ parlare del nuovo cinema?**
   A) sei sentito
   B) hai sentito
   C) ha sentito

6) **Mia sorella _____ ieri con l'aereo.**
   A) ha partita
   B) ha partito
   C) è partita

7) **Tu e Medi _____ a Torino a Natale?**
   A) siamo andati
   B) siete stati
   C) avete stato

8) **Io _____ la mia stanza prima di uscire.**
   A) è sistemato
   B) ho sistemato
   C) ho sistemata

12 ✎ Essere o avere? Collega all'ausiliare corretto come nell'esempio.

MANGIATO
CADUTO
STUDIATO
PARTITO
DORMITO
ASCIUGATO
ARRIVATO

HO

SONO

BALLATO
PULITO
VENDUTO
TORNATO
CUCINATO
MENTITO

13 ✎ Coniuga al passato prossimo il verbo indicato.

A) PARTIRE → Mohamed e Mariam _____ per la Tunisia.

B) LAVORARE → Io e Semir _____ tutto il sabato.

C) CREDERE → Gli ho detto la verità ma loro non mi _____.

D) COLORARE → Ragazzi, (voi) _____ tutti i disegni?

E) SERVIRE → Al ristorante (loro) ci _____ un piatto buonissimo.

F) PARLARE → Noi _____ con Rafaela lunedì scorso.

G) MORIRE → Mia nonna _____ la notte scorsa.

Il participio passato irregolare

-SSO

Discutere → Discusso
Mettere → Messo
Muovere → Mosso
Succedere → Successo

-TTO

Correggere → Corretto
Dire → Detto
Fare → Fatto
Friggere → Fritto
Leggere → Letto
Rompere → Rotto
Scrivere → Scritto

-SO

Accendere → Acceso
Chiudere → Chiuso
Correre → Corso
Decidere → Deciso
Dividere → Diviso
Offendere → Offeso
Perdere → Perso
Prendere → Preso
Scendere → Sceso
Spendere → Speso
Ridere → Riso

-TO

Aprire → Aperto
Bere → Bevuto
Conoscere → Conosciuto
Coprire → Coperto
Offrire → Offerto
Morire → Morto
Rimanere → Rimasto
Rispondere → Risposto
Spegnere → Spento
Togliere → Tolto
Vedere → Visto
Vincere → Vinto

14 Verbi in -SO. Inserisci il participio passato adeguato.

A) Ho _____ 25€ al supermercato.

B) Stamattina abbiamo

_____

un cappuccino al bar.

C) Avete _____ il forno? Dobbiamo infornare la pizza!

D) Non abbiamo ancora

_____ se andare in Senegal.

15 Verbi in -SSO. Inserisci il participio passato adeguato.

A) Non mi hanno raccontato cosa è _____ a sua sorella.

B) Sabato ho _____ con Omar. A volte non ci capiamo.

C) Fiorela ha _____ in vendita la sua vecchia auto.

D) Questo fine settimana non mi sono _____ da casa.

16 Verbi in -TTO. Inserisci il participio passato adeguato.

A) Hai _____ il libro che ti ho regalato?

B) Stamattina ho _____ un messaggio a Rachid ma non ha ancora risposto.

C) Alla stazione hanno _____ che c'è lo sciopero dei treni.

D) Oggi ho _____ una torta buonissima! Vuoi assaggiarla?

17 Verbi in -TO. Inserisci il participio passato adeguato.

A) Hanno _____ un nuovo bar vicino al supermercato.

B) Ieri sera ho _____

un bellissimo film in tv.

C) La Juventus ha _____ contro l'Inter.

D) Mohamed non c'è, è

_____ a casa

18 Sottolinea il verbo corretto.

1) Sono raffreddato perché ieri sera ho **PRESO/PRENDUTO** freddo.

2) Sami e Sarah mi hanno **DITTO/DETTO** che arrivano alle 20.00

3) L'anno scorso gli italiani hanno **VINTO/VINCO** l'europeo.

4) Sai cosa è **SUCCEDUTO/SUCCESSO** alla stazione?

5) Avete **DECITO/DECISO** cosa fare domenica prossima?

"Gli aggettivi possessivi"

FEMMINILE		MASCHILE	
SINGOLARE	PLURALE	SINGOLARE	PLURALE
MIA	MIE	MIO	MIEI
TUA	TUE	TUO	TUOI
SUA	SUE	SUO	SUOI
NOSTRA	NOSTRE	NOSTRO	NOSTRI
VOSTRA	VOSTRE	VOSTRO	VOSTRI
LORO	LORO	LORO	LORO

OSSERVA

I possessivi devono concordare per genere e numero con l'oggetto posseduto.

Esempio:
la casa → la mia casa
le case → le mie case
il cane → il vostro cane
i cani → i vostri cani

19 Completa con il possessivo corretto come nell'esempio.

Es.: Io ho *una macchina* → è la **MIA** macchina.

A) Karl ha un gatto → è il _____ gatto.

B) Loro hanno 4 zii → sono i _____ zii.

C) Noi abbiamo due biciclette → sono le _____ biciclette.

D) Mariam ha tre figli → sono i _____ figli.

E) Voi avete una casa al lago → è la _____ casa.

F) Io ho due cellulari → sono i _____ cellulari.

20 Scegli l'opzione corretta per completare la frase.

A) I **MIEI/MIO** nonni si **SONO TRASFERITI/HANNO TRASFERUTO** nel 2012.

B) Il **SUA/SUO** cane **HA BERUTO/HA BEVUTO** qualcosa che gli **HA FATO/HA FATTO** male.

C) Le **VOSTRI/VOSTRE** sorelle **HANNO DISCUSSO/HANNO DISCUTITO**?

D) **MIA/MIE** madre oggi **HA PRESO/HA PRENDUTO** il treno.

21 Scegli la risposta con l'aggettivo possessivo corretto.

1) Il cane che appartiene a mia zia:
A) il MIO cane
B) il SUO cane
C) la SUA cane

2) La casa di Mohamed e Medi
A) la LORO casa
B) le LORO case
C) la SUA casa

3) I fratelli di Fiorela
A) i LORO fratelli
B) i SUOI fratelli
C) i TUOI fratelli

4) La macchina che appartiene a te
A) la TUA macchina
B) la SUA macchina
C) la NOSTRA macchina

5) I fiori di tua nonna
A) i TUOI fiori
B) i SUOI fiori
C) i NOSTRI fiori

6) Le scarpe dei tuoi genitori
A) le SUE scarpe
B) i LORO scarpe
C) le LORO scarpe

7) I soldi che appartengono a me e te
A) i LORO soldi
B) i NOSTRI soldi
C) i TUOI soldi

8) La bici di Miriam
A) il SUO bici
B) la SUA bici
C) la TUA bici

22 Ascolta e completa con i capi d'abbigliamento che mancano.

I capi d'abbigliamento

_____   *Reggiseno*   *Canottiera*   *Boxer*   _____   *Calzamag*

_____   *Vestito*   _____   _____   *Maglia*   *Giacca*

Pigiama   _____   *Giubbotto*   _____   *Maglione*   *Camicetto*

Cintura   _____   *Cravatta*   _____   *Occhiali da sole*

I colori

23 Scrivi i colori al posto giusto.

| giallo | rosso | azzurro |

| grigio | arancione | blu | nero | bianco | rosa | verde | marrone | viola |

24 🖉 **Osserva le immagini e scrivi nome e colore, come nell'esempio.**

Es.: camicia blu

_____

_____

_____

_____

_____

_____

_____

_____

25 🖉 **Osserva l'immagine e completa le frasi con il capo d'abbigliamento e il colore giusto come nell'esempio.**

*Es.: A. Quanto costa il **VESTITO AZZURRO**? B. Viene 92€.*

1) Vorrei quel _____ _____ con il fiore, porto la S.

2) **A.** Quanto costa la _____ _____ a pieghe? **B.** Viene poco più di 30€.

3) **A.** Cerco dei _____ con le tasche e stretti. **B.** Ho questo paio _____.

4) **A.** Cerco una _____ elegante. **B.** Questa _____ viene 89€.

5) **A.** Di che taglia è la _____ _____ a quadri? **B.** XS.

Prova a scrivere i verbi al posto giusto poi ascolta la canzone e controlla.

| hai scritto | ho detto (3) |

| son tornato | hai detto (2) | abbiam rifatto | abbiamo fatto (2) | abbiamo preso |

| è piaciuto | hai acceso | ho fatto | hai lanciato (2) | ho sentito | siamo andati | hai messo |

Un raggio di sole *(Jovanotti)*

Che lingua parli tu
Se dico vita dimmi cosa intendi
E come vivi tu
Se dico forza attacchi o ti difendi
T'_____ amore e tu
m'_____ in gabbia
M'_____ sempre ma era scritto
sulla sabbia
T'_____ eccomi e volevi cambiarmi
T'_____ basta e m'_____
non lasciarmi
_____ l'amore e mi _____
mi dispiace
Mi _____ una scarpa col tacco
e poi _____ pace
_____ l'amore e ti
_____ un sacco
E dopo un po' mi _____ la solita
scarpa col tacco
Gridandomi di andare e di non tornare più
Io _____ finta di uscire e tu
_____ la tv
E mentre un comico faceva ridere io ti
_____ che piangevi

Allora _____ ma tanto
già lo sapevi
Che tornavo da te senza niente da dire
senza tante parole
Ma con in mano un raggio di sole
Per te che sei lunatica
Niente teorie con te soltanto pratica
Praticamente amore
Ti porto in dono un raggio di sole per te
Un raggio di sole per te
Che cosa pensi tu
Se dico amore dimmi cosa intendi
_____ al mare e mi
parlavi di montagna
_____ una casa in città
e sogni la campagna
Con gli uccellini le anatre e le oche
I delfini I conigli le api I papaveri
e le foche
E ogni tanto ti perdo o mi perdo nei miei gua
Ho lo zaino già pronto all'ingresso
ma poi tanto tu già lo sai
Che ritorno da te

Rispondi V/F alle seguenti affermazioni.

	Vero	Falso
A) Il testo parla di una storia d'amore	☐	☐
B) I due ragazzi si lasciano	☐	☐
C) La ragazza voleva lasciare lui	☐	☐
D) Il ragazzo non torna più	☐	☐
E) I due ragazzi si amano	☐	☐

MODI DI DIRE

TI STA DA DIO
Si dice quando una cosa indossata ti sta molto molto bene